大家小书

中国新文学的源流

周作人 著

北京出版集团公司
北京出版社

图书在版编目（CIP）数据

中国新文学的源流 / 周作人著. — 北京：北京出版社，2020.4
（大家小书）
ISBN 978-7-200-15108-4

Ⅰ. ①中… Ⅱ. ①周… Ⅲ. ①中国文学—文学研究 Ⅳ. ① I206

中国版本图书馆 CIP 数据核字（2019）第 187712 号

总 策 划：安 东 高立志　项目统筹：高立志
责任编辑：王忠波 吴剑文　责任印制：陈冬梅
装帧设计：金 山

·大家小书·

中国新文学的源流
ZHONGGUO XIN WENXUE DE YUANLIU
周作人 著

出　　版	北京出版集团公司 北京出版社
地　　址	北京北三环中路 6 号
邮　　编	100120
网　　址	www.bph.com.cn
总 发 行	北京出版集团公司
印　　刷	北京华联印刷有限公司
经　　销	新华书店
开　　本	880 毫米 ×1230 毫米　1/32
印　　张	9.5
字　　数	145 千字
版　　次	2020 年 4 月第 1 版
印　　次	2023 年 6 月第 2 次印刷
书　　号	ISBN 978-7-200-15108-4
定　　价	48.00 元

如有印装质量问题，由本社负责调换
质量监督电话　010-58572393

总　　序

袁行霈

"大家小书",是一个很俏皮的名称。此所谓"大家",包括两方面的含义:一、书的作者是大家;二、书是写给大家看的,是大家的读物。所谓"小书"者,只是就其篇幅而言,篇幅显得小一些罢了。若论学术性则不但不轻,有些倒是相当重。其实,篇幅大小也是相对的,一部书十万字,在今天的印刷条件下,似乎算小书,若在老子、孔子的时代,又何尝就小呢?

编辑这套丛书,有一个用意就是节省读者的时间,让读者在较短的时间内获得较多的知识。在信息爆炸的时代,人们要学的东西太多了。补习,遂成为经常的需要。如果不善于补习,东抓一把,西抓一把,今天补这,明天补那,效果未必很好。如果把读书当成吃补药,还会失去读书时应有的那份从容和快乐。这套丛书每本的篇幅都小,读者即使细细地阅读慢慢地体味，也花不了多少时间，可以充分享受读书的乐趣。如果把它们当成补药来吃也行，剂量小，吃起来方便，消化起来也容易。

我们还有一个用意，就是想做一点文化积累的工作。把那些经过时间考验的、读者认同的著作，搜集到一起印刷出版，使之不至于泯没。有些书曾经畅销一时，但现在已经不容易得到；有些书当时或许没有引起很多人注意，但时间证明它们价值不菲。这两类书都需要挖掘出来，让它们重现光芒。科技类的图书偏重实用，一过时就不会有太多读者了，除了研究科技史的人还要用到之外。人文科学则不然，有许多书是常读常新的。然而，这套丛书也不都是旧书的重版，我们也想请一些著名的学者新写一些学术性和普及性兼备的小书，以满足读者日益增长的需求。

"大家小书"的开本不大，读者可以揣进衣兜里，随时随地掏出来读上几页。在路边等人的时候，在排队买戏票的时候，在车上、在公园里，都可以读。这样的读者多了，会为社会增添一些文化的色彩和学习的气氛，岂不是一件好事吗？

"大家小书"出版在即，出版社同志命我撰序说明原委。既然这套丛书标示书之小，序言当然也应以短小为宜。该说的都说了，就此搁笔吧。

周作人论新文学及其源流

舒 芜

上篇　重在思想革命
——周作人论新文学新文化运动

周作人作为"五四"新文学新文化运动的主要代表人物之一，平生发表过许多对这个运动的看法，晚年尤其爱对运动的情形进行回忆和分析。他的看法自成一套，这里想稍稍加以清理，供研究"五四"运动史的参考。

一

"五四"运动究竟是什么性质的运动，这是首先要碰到的问题。

本来，如果在"是什么"的意义上，这里并无多大问题。因为，说起"五四"运动，首先自然是指一九一九年五月四日北京学生的爱国运动,放大范围来说又是指其前其后的新文学运动和新文化运动,事实清清楚楚,没有什么可争论的。问题其实是在"应该是什么"的意义上提出的。胡适早就力说"五四"的精神是文学革命,不幸转化而成为政治运动。新时期以来,又有"救亡压倒启蒙"之论。这都是说的"应该是什么",或者说是"本应如何如何,不幸而竟如何如何",问题就出来了。周作人没有看到"救亡压倒启蒙"论,不知道他会有什么意见,他对胡适的看法,则明显表示不同意道:"虽然五四的老祖宗之一,那即是胡适之博士,力说五四的精神是文学革命,不幸转化而成为政治运动,但由我们旁观者看去,五四从头至尾,是一个政治运动,而前头的一段文学革命,后头的一段新文化运动,乃是焊接上去的。若是没有这回政治性的学生对政府之抗争,只是由《新青年》等二三刊物去无论如何大吹大擂的提倡,也不见得会有什么大结果,日久,或者就将被大家淡忘了也说不定。这因有了那一次轰动全国的事件,引动了全国的视听,及至事件着落之后,引起了的热情变成为新文化运动,照理来讲该是文学革命加上思想革命的成分,然而热闹了几年,折扣下来,所谓新文化也只剩了语体文一种,这总可以说是根基已固,通行很广的了。"[①]这个"焊接"说

---

① 周作人:《知堂集外文(四九年以后)·6.北平的事情》。

是一个形象的比喻,它的主要意思是反对胡适的"不幸转化而成为政治运动"之说,认为不是不幸,而是幸事,新文学运动是幸赖学生爱国运动,才扩大影响,获致成功。周作人这个看法,比胡适的看法近于实际。从清朝末年起,一些先觉的维新爱国之士已经提倡白话,用白话文宣传新思想,陈独秀就主编过白话报,胡适学生时代就在白话报刊上发表过文章,这也可以说是新文学运动的先声,可是影响一直很小。到了《新青年》出版,陈独秀、胡适举起"文学革命"的大旗,起初也只有钱玄同、刘半农、傅斯年等三数人来应和,有《每周评论》来声援,总的看来还是孤军奋斗的形势。然后才是"五四"学生爱国运动,唤醒了一代青年,带着新的文化要求登场,形成新的读者群,新文学运动才有了自己的基础,影响才迅速扩大,这是很明显的事实。胡适很爱夸耀白话运动的迅速成功,却看不到使之迅速成功的政治社会条件,不能不说是偏见。

至于"五四"学生爱国运动之后的新文化运动的起来,周作人说是由于学生运动所引起的热情的推动,也是符合事实的。这种热情,蕴含着积累着辛亥革命以来几次三番的中国历史大倒退所刺激起来的彻底改革中国的要求,周作人强调指出洪宪帝制和张勋复辟两个事件的刺激,他说:"民国初年的政教反动的空气,事实上表现出来的是民四(1915)的洪宪帝制，民六（1917）的复辟运动，是也。经过这两件事情的轰击，所有复古的空气乃全然归于消灭，结果发生了反复古。这里表面是两条路，即一是文学革命，主张用白话；一是思想革命，主张反礼教，而总结于毁灭古旧的偶像这一点上，因为觉得一切的恶都是从这里发生的。"①这里是将文学革命与思想革命并提。进一步他又说："经过那一次事件（指张勋复辟。——舒芜）的刺激，和以后的种种表现，这才翻然改变过来，觉得中国很有'思想革命'的必要，光只是'文学革命'实在不够，虽然表现的文字的改革自然是连带的应当做到的事，不过不是主要的目的罢了。"②这就是说，思想革命比文学革命更重要，是文学革命的深化，思想革命任务一提出来，便把文学革命推到了次要地位。促成这个发展的是张勋复辟事件的刺激，把这个刺激的反应变为实际行动的是"五四"爱国运动所引起的热情。所以，从文学革命到思想革命的发展过程中，爱国政治运动这一段实是承上启下、贯通上下的一段，它使新文学运动和新文化运动都包容在改革中国的大运动里，都具有革命的政治性。周作人正是这样看法，他非常自信地指

---

① 《知堂集外文（四九年以后）·182. 钱玄同的复古与反复古》。
② 《知堂回想录·一一六 蔡孑民二》。

出:"总之这一个妇孺皆知的五四运动发起于北平(当时还叫北京),以学生为之主动,因此北京学界的声名自然也随之而四远传播,隐然成为全国的重心了。中国是在革命时期,所谓学术文化的中心也脱离不了这个色彩,所以北平学界的声名总是多少带着革命性或政治性的,不是寻常纯学术的立场,虽然我这说法或者是非正宗的,不免与好些学者的意见很有距离。"①近些年来,我们常常听到"纯学术"的呼声,其举为"纯学术"的榜样的常常是过去的北京学术界,而周作人则认为北平学界不是寻常纯学术的立场,其价值正在于此,这种完全不同的看法,我们也应该知道。

周作人不仅用这个观点看"五四"新文学新文化运动,而且用这个观点看中国后来几次的文学和文化上的斗争。他指出,"五四"时期林纾的捍卫古文,反对白话,以及后来几次的古文复兴运动,都有政治背景:"古文复兴运动同样有深厚的根基,仿佛民国的内乱似的应时应节的发动,而且在这运动后面都有政治的意味,都有人物的背景。五四时代林纾之于徐树铮,执政时代章士钊之于段祺瑞,现在汪懋祖不知何所依据,但不妨假定为戴公传贤罢。只有《学衡》的复古运动可以

---

① 周作人:《知堂集外文(四九年以后)·6.北平的事情》。

说是没有什么政治意义，真是为文学上的古文殊死战，虽然终于败绩，比起那些人来又更胜一筹了。非文学的古文运动因为含有政治作用，声势浩大，又大抵是大规模的复古运动之一支，与思想道德礼法等等的复古有关，有如长蛇阵，反对的难以下手总攻，盖如只击败文学上的一点仍不能取胜，以该运动本非在文学上立脚，而此外的种种运动均为之支柱，决不会就倒也。"①他不是有意往政治上拉，《学衡》派没有什么政治背景他就说没有，很实事求是，而此外的古文复兴运动，如他所指，都有明显的政治背景，这是我们经历过来的人能够证明的。至于他说的大规模的思想道德礼法的复古运动，即对于新文化运动的反攻，更是政治上反动的一部分。例如，一九二八年国民党政府规定孔子纪念日，这是蒋介石政权在文化上复古倒退的一个信号，是对于民国元年孙中山临时政府下令废除祭孔的翻案，周作人当即予以揭露道："正如前三四年前远远地听东北方面的读经的声浪，不免有戒心一样，现在也仿佛听见有相类的风声起于西南或东南，不能不使人有'杞天之虑'。禁白话，禁女子剪发，禁男女同学等等，这决不是什么小问题，乃是反动与专制之先声，从前在奉、直、鲁各省实施过，

---

① 《苦茶随笔·〈现代散文选〉序》。

经验过,大家都还没有忘记,特别是我们在北平的人。此刻现在,风向转了,北方刚脱了复古的鞭笞,革命发源的南方却渐渐起头来了,这风是自北而南呢,还是仍要由南返北而统一南北的呢,我们惊弓之鸟的北方人瞻望南天,实在不禁急杀恐慌杀。"①以文章力求和平淡静的周作人,而说出"不禁急杀恐慌杀"这样的话,实在是当时的现实教训,太血淋淋的了,容不得你自居超脱。

我们近些年来,常常听到一种论调,责怪中国近代以来一代一代的知识分子没有守住"纯学术""纯文学"之宫,而过于靠近现实政治,卷入现实政治。今天这样说说很容易,但在当时,眼看文学和文化上的反动大都是总的政教反动之一部分,你想不管它,它却来管你,你想专谈文学文化,它那边政治、思想、道德、礼法等等连成的长蛇阵却向你卷过来,你还想超脱,还想守住"纯学术""纯文学"之宫,可不是容易的事。周作人都不免于"急杀恐慌杀",其情可想,其事可知了。所以,他认为,"五四"学生爱国政治运动,居中贯串着前后两头的新文学和新文化运动,并赋予新文学新文化运动以革命的政治意义,事实如此,而且这是好的,应该的。

---

① 《永日集·国庆日颂》。

二

在"五四"新文学运动和新文化运动二者之中，或者说文学革命和思想革命二者之中，周作人着重的是思想革命。

本来，"思想革命"的口号，就是周作人第一个提出来的。一九一九年三月（这还在"五四"学生爱国运动之前两个月），他在《每周评论》上发表《思想革命》一文，指出文学革命已渐见功效之后，应该进一步讲思想革命。① 当时，胡适比较偏重单纯的文学革命，陈独秀、钱玄同则偏重思想革命，鲁迅和周作人是与陈、钱相近的。周作人晚年回忆鲁迅为什么会接受钱玄同的劝驾给《新青年》写出《狂人日记》等小说的原因道："《新青年》上标榜着文学革命的大旗，金心异（即钱玄同。——舒芜）所着重的乃是打倒孔教，……也因此而能与鲁迅谈得投合，引出《呐喊》里的这些著作来的。鲁迅对于简单的文学革命不感多大兴趣，……所以他的动手写小说，并不是来推进白话文运动，其主要目的还是在要推倒封建社会与其道德，即是继续《新生》的文艺运动，只是这回因为便利上使用了白话罢了。他对于文学革命赞成是不成问题的，只觉得

---

① 《思想革命》收入《谈虎集上卷》。

这如不与思想革命结合便无多大意义,在这一点上可以说与金心异正是相同,所以那劝驾也就容易成功了。"①他分析的鲁迅当时的思想,也就是他自己的思想。

其实,即使单就文学革命而言,也不仅仅是语言文字的改革,它同时就有思想文化上的意义。周作人谈到文学革命,总是着重它在思想文化上的意义。他强调文学革命是对于八股文化的反动:"民国初年的文学革命,据我的解释,也原是对于八股文化的一个反动,世上许多褒贬都不免有点误解,假如想了解这个运动的意义而不先明了八股是什么东西,那犹如不知道清朝历史的人想懂辛亥革命的意义,完全是不可能的了。"②他不是把八股文仅仅看作一种文体,而是看作一种文化,一种以服从与模仿为特征的奴性文化,他说:"我们再来谈一谈中国的奴隶性罢。几千年来的专制制度养成很顽固的服从与模仿根性,结果是弄得自己没有思想,没有话说,非等候上头的吩咐不能有所行动,这是一般的规律,而八股文就是这个现象的代表。……在文章上叫作'代圣贤立言',又可以称作'赋得',换句话说就是奉命说话。"③

---

① 《鲁迅小说里的人物·呐喊衍义·五 金心异劝驾》。
② 《看云集·论八股文》。
③ 《看云集·论八股文》。

周作人是把八股文作为最极端的代表,来代表一切以"载道"为宗旨的古文,特别是从唐宋八大家到桐城派这个古文正统。陈独秀把这个正统叫作"贵族文学",胡适把它叫作"死文学";周作人对二者都不同意,他说:"古文作品中之缺少很有价值的东西已是一件不可动移的事实。其理由可以有种种不同的说法,但我相信这未必是由于古文是死的,是贵族的文学。……我在这里又有一个愚见,觉得要说明古文之所以缺乏文学价值,应当从别一方面着眼,这便是古文的模拟的毛病。大家知道文学的主要目的是在表现自己的思想感情,各人的思想感情各自不同,自不得不用独特的文体与方法,曲折写出,使与其所蕴怀者近似,而古文则重在模拟,这便是文学的致命伤,尽够使作者的劳力归于空虚了。"[①]他的反对模拟,追求自我表现,是他的自我发现、个性发现、人生发现的思想的一部分,在文学上就是主体性的追求,他说:"我曾说我们写国语文,并无什么别的大理由,只因写文章必须求诚与达;所以用的必得是国语,……盖古文用起来不顺手,不容易达出真意思,若是去写新古各式的时文,又未免不能诚,这就根本上违反了写文章的本意了。"[②]他所谓诚与达,就是主体性的发掘

---

① 《艺术与生活·国语文学谈》。
② 《立春以前·国语文的三类》。

和表现，后来他借用中国古代文论术语名之曰"言志"，发挥成一整套理论，我们可以由后观前，看出他用反模拟来解释文学革命的深意，与"五四"时期别人也曾一般地提到过反模拟不同。

周作人所反对的模拟，总是和一定的政治、道德、文化联系在一起的。他说："古文者文体之一耳，用古文之弊害不在此文体而在隶属于此文体的种种复古的空气，政治作用，道学主张，模仿写法等。白话亦文体之一，本无一定属性，以作偶成的新文学可，以写赋得的旧文学亦无不可；此一节不可不注意也。如白话文大发达，其内容却与古文相差不远，则岂非即一新古文运动乎。"①他实际上是把模拟写法作为复古政治和道学在文风上的必然表现来看，未有复古政治和道学而容许主体性的发挥者，未有适应复古政治和道学的文章而不流于模拟者，从唐宋八大家到桐城派的正统古文便是这种模拟的结晶。

周作人有一个极深刻的见解，他认为模拟文风是文化心态衰老化的表现。他说："中国人向来尊重老成，……所以除了有些个性特别强的人，又是特别在诗词中，还留存若干绮丽豪放的以外，平常文章几乎无不是中年老年即上文所云后期的产

---

① 《苦茶随笔·〈现代散文选〉序》。

物,也有真的,自然也有仿制的。我们看唐宋以至明清八大家的讲义法的古文,历代文人讲考据或义理的笔记等,随处可以证明。那时候叫青年人读书,便是强迫他们磨灭了纯真的本性,慢慢人为地造成一种近似老年的心境,使能接受那些文学遗产。"①我们确实看到,在复古政治和道学的统治之下,除了个性特别强的人而外,一般人都逐渐成为死相,这也就是衰老之相。人到老年,生活往往只剩下回忆,这种生活实际上只是对过去生活的模拟。所以,老年心境的文章,即使是真的,它本身已经是生命的模拟,至于仿制的自然更是模拟之模拟,总之都是迟暮衰老的文学。文学革命之反模拟,反复古,正是要用青春的文学来代替迟暮衰老的文学,它发难于名字叫作《新青年》的杂志,恰好标明它的这一层意义,当时反对新文学的老先生们常常骂提倡新文学者为"黄口小生",除了骂的意思而外事实倒是说对了。

三

反模拟,反复古,是一件事;而所谓"反传统",则是另一件事。近些年来,海外突然飞来一顶所谓"反传统"的帽

---

① 《苦竹杂记·谈文》。

子，扣在"五四"新文学新文化运动头上，国内一些人从而和之，都以此为"五四"之罪。我完全不懂这是怎么一回事，不知道除了钱玄同曾一度提出过个别过激之论而外，（吴稚晖不足道），当时谁曾经主张过笼统的"反传统"？这里就可以以周作人为例，他就是一面坚决反对复古和模拟，一面十分重视新文学和古文学的关系、白话文和文言文的关系，积极地为新文学追溯渊源，找寻传统。

周作人在这方面，也贯彻了他的重视思想的原则，他批评了胡适单单着眼于"白话"一点而导致的矛盾。

首倡文学革命的胡适，首先就是热心为新文学找寻历史传统的。他从一九二一年起，多次讲演国语文学史，印出讲义，一九二八年正式出版了《白话文学史（上卷）》一书。他之所谓"白话文学史"实际上差不多就是整个中国文学史；他把"白话"的概念尽量放大范围，把文学史上的好作品尽量纳入这个范围，只是把少数太不能纳入"白话"名义下的除外。周作人一九二五年就批评了这个文学史观（大概是根据胡适印行的讲义）："近年来国语文学的呼声很是热闹，就是国语文学史也曾见过两册，……凡非白话文即非国语文学，然而一方面界限仍不能划得这样严整，照寻常说法应该算是文言文的东西里边也不少好文章，有点舍不得，于是硬把他拉过来,说他本来是白话;这样一来,国语文学的界限实在弄得有点糊涂,令我觉得莫名其妙。"①周作人这个批评是符合实际的。胡适自己明白地谈过如何把"白话文学"的范围放到几近于无范围的程度,他说:"我把'白话文学'的范围放的很大,故包括旧文学中那些明白清楚近于说话的作品。我从前曾说过,'白'有三个意思:一是戏台上说白的'白',就是说得出,听得懂的话;二是清白的'白',就是不加粉饰的话;三是明白的'白',就是明白晓畅的话,依照这三个标准,我认定《史记》《汉书》里有许多白话,古乐府歌辞大部分是白话的,佛书译本的文字也是当时的白话,或很近于白话,唐人的诗歌——尤其是乐府绝句——也有很多的白话作品。这样宽大的范围之下,还有不及格而被排斥的,那真是僵死的文学了。"②他就是这样舍不得古文学中许多好东西,硬把它们拉入"白话"的范围之内,尽管它们照寻常说法应该算是文言文。他本来想论证新文学的历史传统的深厚,结果反而尽撤樊篱,喧宾夺主,取消了新文学和古文学的界限,抹煞了新文学的全新的意义。他讲新文学,差不多以是否白话为唯一标准,到了要扩大

---

① 《艺术与生活·国语文学谈》。
② 胡适:《白话文学史·自序》。

新文学的声势的时候,就不能不实际上取消了这唯一标准。

周作人与胡适不同,他讲新文学运动,从来不片面孤立地强调白话文,也不把白话文与文言文截然分开。一九二二年他就主张白话文一面应该"欧化",一面应该采用文言文中有必要采用而没有复古意义的成分。① 后来他自己的散文创作,在吸收文言文成分方面,多方探索,成功很大。他曾经详论这个问题:"说到古文,这本来并不是完全要不得的东西,正如前清的一套衣冠,自小衫以至袍褂大帽,有许多原是可用的材料,只是不能再那样的穿戴,而且还穿到汗污油腻。新文学运动的时候,虽然有人嚷嚷,把这衣冠撕碎了扔到茅厕里完事,可是大家也不曾这么做,只是脱光了衣服,像我也是其一,赤条条地先在浴堂洗了一个澡,再来挑拣小衣汗衫等洗过了重新穿上,开衩袍也缝合了可以应用,只是白细布夹袜大抵换了黑洋袜了罢,头上说不定加一顶深茶色的洋毡帽。……朝服的舍利狲成为很好的冬大衣,蓝色的实地纱也何尝不是民国的合式的常礼服呢。不但如此,孔雀补服做成套,圆珊瑚顶拿来镶在手杖上,是再好也没有的了,问题只是不要再把补服缀在胸前,珊瑚顶装在头上,用在别处是无所不可的。我们的语体文

---

① 《艺术与生活·国语改造的意见》。

大概就是这样的一副样子，……还有一层，值得特别指出的是，现今的语体文是已经洗过一个澡来的，虽然仍旧是穿的大衫小衫以至袍子之类，身体却是不同了。这一点是应当看重的，我看人家的文章常有一种偏见，留意其思想的分子，自己写时也是如此。"①他说新文学运动时只有个别人主张把旧衣冠扔到茅厕里去（大概这就是为世诟病的所谓"反传统"吧），大家并不曾这么做，这是符合事实的。他主张旧衣冠无妨充分地改造吸收，而身体上的旧污不可不洗，不可不脱得赤条条地彻底地洗一番，这就是说，文学革命（主要指白话文运动）本来无须那么彻底，思想革命则必须彻底。他不相信有什么与文言文截然分开的白话文，他认为成熟的白话文只能是"亦文亦白，不文不白，算是贬词固可，说是褒词亦无不可，他的真相本来就是如此"②。而注重思想这一点，他自称是一种偏见，固然是谦词，其实也就是坚持不放弃的意思。

四

还可以进一步看看周作人是如何重视新文学与古文学的传承关系，而不孤立地强调白话文与文言文的区别。

---

① 《药堂杂文·序》。
② 《立春以前·杂文的路》。

一九二五年，周作人就批评"纯用老百姓的白话可以作文"的论点道："我相信古文与白话文都是汉文的一种文章语，他们的差异大部分是文体的，文字与文法只是小部分。中国现在还有好些人以为纯用老百姓的白话可以作文，我不敢附和。我想一国里当然只应有一种国语，但可以也是应当有两种语体，一是口语，一是文章语，口语是普通说话用的，为一般人民所共喻，文章语是写文章用的，须得有相当教养的人才能了解，这当然全以口语为基本，但是用字更丰富，组织更精密，使其适于复杂的思想感情之用，这在一般的日用口语是不胜任的。两者的发达是平行并进，文章语虽含有不少的从古文或外来语转来的文句，但根本的结构是跟着口语的发展而定，故能长保其生命与活力。虽然没有确实的例证，我推想古文的发生也是如此，不过因为中途有人立下正宗的标准，一味以保守模拟为务，于是乱了步骤，口语虽在活动前进，文章语却归于停顿，成为硬冷的化石了。所以讲国语文学的人不能对于古文有所歧视，因为它是古代的文章语，是现代文章语的先人，虽然中间世系有点断缺了，这个系属与趋势总还是暗地里接续着，白话文学的源流决不是与古文对抗从别个源头发生出来的。"[①] 新文学运动以来，"以为纯用老百姓的话可以作文"

---

① 《艺术与生活·国语文学谈》。

的观念相当有势力，在白话文写作的问题上，便以为只有纯用老百姓的话写出来的才是最理想的白话文，在文学史的问题上，便以为白话文学是与古文对抗从别个源头上发生出来的。周作人明确反对这个有势力的观念，指出古文与白话文都是文章语，不过有古今之分；文章语与口语则从来有区别，前者是后者的精炼提高，又随后者的发展而并行地发展；古之文章语与古之口语原来也是这样的关系，不过中途出了"正宗标准"，出了保守模拟，才使古之文章语停顿下来成为硬冷的化石。这样，新文学运动，白话文运动，就不是用口语反对文章语，不是用今之文章语（白话文）反对古之文章语（文言文），而是古今文章语的一贯发展，应该集中着重反对的只是"正宗标准"和保守模拟罢了。

新文学运动中，钱玄同提出响亮的口号：反对"桐城谬种"和"选学妖孽"，胡适大力表彰明清白话小说，要以它作为新文学的源头，周作人对于二者都不完全同意。反对"桐城谬种"这一点没有问题，周作人最为赞成，后来反复加以强调和发挥；但是，他对反对"选学妖孽"这一点，起先就不甚积极，后来更提出白话文应该吸收骈文的精华的意见："白话文运动可以说是反对'选学妖孽桐城谬种'而起来的，讲到结果则妖孽是走掉了，而谬种却依然流传着，……腔调还是用得着,……我以为我们现在写文章重要的还是努力减少那腔调病,与制艺策论愈远愈好,至于骈偶倒不妨设法利用,因为白话的语汇少欠丰富,句法也易陷于单调,从汉字的特点上去找出一点装饰性来。如能用得适合,或者能使营养不良的文章增点血色,亦未可知。……假如能够将骈文的精华应用一点到白话文里去,我们一定可以写出比现在更好的文章来。"①他所谓骈偶文,并不重在对偶,而重在词汇和句法,其实主要是指与唐宋八大家、桐城派相对立的六朝散文一系,他曾深入辨明二者的优劣道:"我常觉得用八大家的古文写景抒情,多苦不足,即不浮滑,亦缺细致,或有杂用骈文句法者,不必对偶,而情趣自佳,近人日记游记中常有之。其实这也是古已有之,六朝的散文多如此写法,那时译佛经的人用的亦是这种文体,其佳处为有目所共见,唯自韩退之起衰之后,文章重声调而轻色泽,乃渐变为枯燥,如桐城派之游山记其写法几乎如春秋之简略了。"②至于明清白话小说,周作人指出它的局限性道:"明清小说专是叙事的,即使在这一方面有了完全的成就,也还不能包括全体,我们于叙事以外还需要抒情与说理

---

① 《药堂杂文·汉文学的传统》。
② 《药堂杂文·画钟敬士像题记》。

的文字，这便非是明清小说所能供给的了。"①周作人这些意见，与单纯强调白话文者不同，后者认为老百姓口头语已经够好，照样写出便是好的白话文，正如胡适所谓"有什么话，说什么话；话怎么说，就怎么说"，明清白话小说就是榜样，一切文言文特别是骈偶之文当然全是要不得的东西。周作人一开始就不同意把老百姓口头语理想化，他清醒地指出："我们决不看轻民间的言语，以为粗俗，但是言词贫弱，组织单纯，不能叙复杂的事实，抒微妙的情思，这是无可讳言的。……民间的俗语，正如明清小说的白话一样，是现代国语的资料，是其分子而非全体。现代国语须是合古今中外的分子融和而成的一种中国语。"②白话文后来的发展，实际上是走着他指出的这条道路，他之所以能够那么早就指出来，则是由于他一开始就着重思想感情的表达，以此为标准来衡量民间俗语，明明白白地不够用，自非吸取古今中外的一切精华——包括骈文的精华不可。

周作人并不是不看重白话文与文言文的区别，只是不单从形式方面孤立地来看，而是牢牢掌握内容决定形式的原则来

---

① 《艺术与生活·国语改造的意见》。

② 同上。

看,他说:"白话文之兴起完全由于达意的要求,并无什么深奥的理由。因为时代改变,事物与思想愈益复杂,原有文句不足应用,需要一新的文体,乃始可以传达新的意思,其结果即白话文,或曰语体文,实则只是一种新式的汉文,亦可云今文,与古文相对而非相反,其与唐宋文之距离,或尚不及唐宋文与尚书之距离相去之远也。这样说来,中国新文学为求达起见利用语体文,殆毫无疑问,至其采用所谓古文与白话等的分子,如何配合,此则完全由作家个人自由规定,但有唯一的限制,即用汉字写成者是也。"①这是说古今思想的变迁决定了古今文体的变迁。他又说:"假如思想还和以前相同,则可仍用古文写作,文章的形式是没有改革的必要的。现在呢,由于西洋思想的输入,人们对于政治、经济、道德等的观念,和对于人生,社会的见解,都和以前不同了。应用这新的观点去观察一切,遂对一切问题又都有了新的意见要说要写。然而旧的皮囊盛不下新的东西,新的思想必须用新的文体以传达出来,因而便非用白话不可了。"②这是说西方思想的输入酿成了新酒,要求用新的皮囊来盛它。可见,无论从古今之变还是从东

---

① 《药堂杂文·汉文学的前途》。
② 《中国新文学的源流·第五讲 文学革命运动》。

西之变来看，白话文与文言文的区别都是重要的，其所以重要，都仅仅在于能否表达新内容这一点上。

五

一九三二年，周作人作了系列学术讲座《中国新文学的源流》，所论及的范围包括了整个中国文学史，其着重点则如题目所示，是要为中国新文学追溯源流。他建立了自己一套文学史观，即是"载道"与"言志"的二元文学史观，大致是说，中国文学史上始终是"载道"与"言志"两个潮流在起伏消长，皇权强盛之时"载道"文学盛行，王纲解纽之时"言志"文学盛行，有价值的文学都是"言志"的而非"载道"的，新文学运动也无非是反"载道"文学的运动，是"言志"文学的最新发展。他这一套理论，涉及许多复杂的学术问题、历史问题，一发表出来就有强烈的反响，既有不少人赞成，也有不少人反对。我们这里不来谈这一文学史理论本身，只看看它与新文学运动史问题直接有关的几点。

周作人谈过他怎样逐步形成这一文学史观的过程，以及他为什么要建立这一套文学史观的目的："十一年夏承胡适之先生的介绍，叫我到燕京大学去教书，……我自己担任的国语文学大概也是两小时吧，我知道应当怎样教法，要单讲现时白话文,随后拉过去与《儒林外史》《红楼梦》《水浒传》相连,虽是容易,却没有多大意思,或者不如再追上去,到古文里去看也好。我最初的教案便是如此,从现代入手,……这之后加进一点话译的《旧约》圣书,是《传道书》与《路得记》吧,接着便是《儒林外史》的楔子,讲王冕的那一回,别的白话小说就此略过,接下去是金冬心的《画竹题记》等,郑板桥的题记和家书数通,李笠翁的《闲情偶寄》抄,金圣叹的《水浒传序》。明朝的有张宗子、王季重、刘同人,以至李卓吾,不久即加入了三袁,及倪元璐、谭友夏、李开先、屠隆、沈承、祁彪佳、陈继儒诸人,这些改变的前后年月也不大记得清楚了。大概在这三数年内,资料逐渐收集,意见亦由假定而渐确实,后来因沈兼士先生招赴辅仁大学讲演,便约略说一过,也别无什么新鲜意思,只是看出所谓新文学在中国的土里原有他的根,只要着力培养,大家的努力决不白费,这是民国二十一年的事。"[1]这一大段话很重要,可以看出他为中国新文学寻根溯源的目的,是要鼓舞大家对新文学的信心,与胡适的《白话文学史》的目的一样。胡适寻根溯源的路子,是以形式上是否白话文为主要标准。周作人则有意要"到古文里去看",是以

---

[1] 《知堂乙酉文编·关于近代散文》。

内容为主要标准。他所取的明末清初那些人物，全是当时的异端，至少是对正统意识形态相当疏离的，各有其某种程度的主体的自觉性的。他认为，这样的人物写出来的文学，才是新文学的源头，尽管用的是古文而非白话文；而古之白话小说，反倒是其次。古之白话小说中，他单取《儒林外史》的楔子一回，没有说明理由，大概也是欣赏这一回里写的王冕，有些近于他所欣赏的明末清初那些人物，未必是觉得这一回的白话文特别好。一九二二年周作人到燕京大学讲国语文学，不知道是不是中国高等学校开这个课的第一次，反正是相当早的，带有开创性的。以新文学的开拓者之一的身份，来担任这个开创性的课程，周作人一面讲课，一面研究，他深切感到中国古文学中有与新文学一脉相通的潮流，特别感到晚明公安派、竟陵派文学在精神上与新文学的亲近，他是有真切的感受，经过认真的思考的。至于他借用中国古典文论中"载道"与"言志"两个概念未必恰当，当时就遭到批评，后来他自己也一再声明修正；他树起"言志"的旗帜来提倡一种文学，也产生许多流弊。这些都不在此详论。

　　周作人讲新文学的源流，特别注意新文学中散文一门同传统的关系。他说："我常这样想，现代的散文在新文学中受外国影响的最少，这与其说是文学革命的还不如说是文艺复兴的产物，虽然在文学发达的途程上复兴与革命是同一样的进展。在理学与古文没有全盛的时候，抒情的散文也已得到相当的长发，不过在学士大夫眼中自然也不很看得起。我们读明清有些名士派的文章，觉得与现代文的情趣几乎一致，思想上固然难免有若干距离，但如明人所表示的对于礼法的反动则又很有现代的气息了。"①他认为西洋的散文，例如英法的随笔文学，对中国影响不大："只有杂文在过去很有根柢，其发达特别容易点，虽然英法的随笔文学至今还未有充分的介绍，可以知道现今散文之兴盛其原因大半是内的，有如草木的根在土里，外边只要有日光雨水的刺激，就自然生长起来了。"②这两段话里说的散文，是比较狭义的，即与小说、诗歌并列的散文，其中也包括了杂文。周作人认为这个概念范围内的现代散文在新文学中成就最高，这个估价完全合乎事实，鲁迅以杂文，周作人以散文，成为中国新文学史上并峙的双峰，就是证明。（至于周作人又曾经将散文的概念扩大到一切非韵文，包括小说与随笔，说中国新文学中小说与随笔最有成绩，是由于从前的语言文字可以应用之故③，则与他的"中国新文学的源

---

① 《泽泻集·〈陶庵梦忆〉序》。
② 《立春以前·文学史的教训》。
③ 见《知堂序跋·〈骆驼祥子〉日译本序》。

流"的系统理论不完全相同,当另看。)

周作人讲新文学的源流,丝毫也不忽视传统的影响,还有一个很突出的例子,这就是他甚至说新文学运动的开端还是桐城派中的人物引起来的。他说:姚鼐不以经书作文学看,曾国藩则将经书当作文学看,较为开通,对文学较多了解。"其后,到吴汝纶、严复、林纾诸人起来,一方面介绍西洋文学,一方面介绍科学思想,于是经曾国藩放大范围后的桐城派,慢慢便与新要兴起的文学接近起来了。后来参加新文学运动的,如胡适之、陈独秀、梁任公诸人,都受过他们的影响很大,所以我们可以说,今次新文学运动的开端,实际还是桐城派中的人物引起来的。"①周作人本来最强调新文学运动和桐城派的不可调和的对抗,这里却将胡适等人说得似乎都与桐城派有什么瓜葛,把他们曾经受过严、林所介绍的西洋学艺的影响,说成仿佛是受桐城派影响,这里面有很多问题,我们且不详论,只举此例证明周作人是如何一点不忽视新文学与传统的关系。当然,周作人接着就指出林纾、严复跟不上潮流,在新文学运动中成为反动势力,乃是因为他们的基本观念是"载道",新文学

---

① 《中国新文学的源流·第四讲 清代文学的反动(下)——桐城派古文·桐城派和新文学运动的关系》。

的基本观念是"言志",二者根本反对之故。这还是归到了他的"言志"与"载道"二元论文学史的大体系。他又说:"严、林都十分聪明,他们看出了文学运动的危险将不限于文学方面的改变,其结果势非使儒教思想根本动摇不可。所以怕极了便出面反对。"①这解释得更为切实,也可以看出他谈文学革命,总是一贯着重它在思想革命上的意义,而不单就文学谈文学。

六

"五四"新文学新文化运动,成绩很大,但是它也有失误和失败的方面,周作人对此是有清醒的认识的。

周作人早就指出:中国新诗运动初期,反抗有余,建立不足,因反抗国家主义遂并减少乡土色彩,因反抗古文遂并减少文言字句。但这并不是谁故意要笼统地"反传统",而是"因为传统的压力太重,以致有非连着小孩一起便不能把盆水倒掉的情形"。②他还指出:白话文运动初期,对于古文曾经恶骂力攻,后来看来也有过分之处,但当时也只能如此,"以前文言文的皇帝专制,白话军出来反抗,在交战状态时当然认他为

---

① 《中国新文学的源流·第五讲 文学革命运动·旧势力的恐怖和挣扎》。
② 《自己的园地·〈旧梦〉序》。

敌,不惜用尽方法去攻击他,……五四前后,古文还坐着正统宝座的时候,我们的恶骂力攻都是对的。"①

上面说的过分否定文言文的问题上,周作人指出了"五四"时期的这个缺点,这是他自己真正的看法。另有一例,稍为不同,即是关于"五四"时期对旧剧的过分否定的问题。我们知道,周作人自己一直是极不喜欢旧剧特别是京戏的,但是他在解放初期,在全国戏曲工作会议召开之后,有了不同的表态:"这回全国戏曲工作会议得到了重要的收获,据报上所发表几项决定都很正确重要,前进而又那么稳健,正是难得。其中一项,对历史上与传说中为人民所爱戴的英雄人物应予以肯定,我觉得就是很好的一例。在五四以来的偶像破坏的空气中,对于民间艺术往往过于打击,犯性急的毛病,结果至少也是无益,这到现今才算渐加纠正了。"②他这里所用的"民间艺术"一词,实专指旧戏曲而言,以其流行于民间故如此称呼,并不是一般意义上的民间艺术。对于旧戏,首先是京戏,"五四"时期是猛烈批评过。若是一般意义上的民间艺术,则"五四"时期正大为提倡,何曾"过于打击"

---

① 《艺术与生活·国语文学谈》。
② 《知堂集外文(亦报随笔)·495.反对关公》。

过?周作人接着举出伍子胥、诸葛亮、赵子龙、岳飞、牛皋,都是旧戏特别是京戏中一向歌颂的。周作人认为,现在来肯定这些人物,自然不成问题。但是,他郑重指出:"在这里当然也有斟酌未必一律无条件的肯定,……关于关羽,我想这就没有那么简单,实在必须加以清算才对,因为这偶像后面是存在着一种迷信的。"①稍知京戏情况者,都知道关羽是京戏舞台上歌颂的第一名神圣化了的超级英雄,周作人恰恰提出他来要加以"清算",警告不可"一律无条件的肯定",可见他虽是出于政治上力求认同的心理,表示拥护戏曲工作会议的决定,检讨"五四"时期对旧戏过于打击的缺点,他的心底里其实还是颇有保留的。一个多月后,他说过一段透露心曲的话,他把爱看旧戏比作爱抽香烟,他自己不抽烟,不感觉它有什么香味,但是能够同情别人抽烟,"有如我不喜欢旧戏,但因为民众都爱看,我也就承认它是应该有的艺术,我自己尽管还是不看。"②可见他不喜欢旧戏的立场一直不变,只因为"民众都爱看",才承认它为"民间艺术",才检讨"五四"时期不该过于打击它,实际上只是承认它为一时难以禁止的一种流行不

---

① 《知堂集外文(亦报随笔)·495.反对关公》。
② 《知堂集外文(亦报随笔)·544.关于纸烟》。

良嗜好罢了。

对于"五四"新文学新文化运动的整个估价,周作人有他的一个独特的论点:新文学运动略有成绩,新文化运动却是失败的。新文学运动的成绩,他认为在于造成了几个能写作有思想的文人。他说:"民六以后新文学运动哄动了一时,胡陈鲁刘诸公那时都是无名之士,只是埋头工作,也不求声名,也不管利害,每月发表力作的文章,结果有了一点成绩,后来批评家称之为如何运动,这在他们当初是未曾预想到的。……这有如一队兵卒,在同一目的下人自为战,经了好些苦斗,达到目的之后,肩了步枪回来,衣履破碎,依然是个兵卒,并不是千把总,却是经过战斗,练成老兵了,随时能跳起来上前线去。这个比喻不算很好,但意思是正对的,总之文学家所要的是先造成个人,能写作有思想的文人,别的一切都在其次。"① 他所举的胡(适)、陈(独秀)、鲁(迅)、刘(半农)诸公,还有他自谦未举的他自己,是中国第一代与旧日士大夫文人截然划开界限的新的人文知识分子的卓越代表。说"五四"新文学运动的成绩落实在造就了这些人物,也等于说落实在造就了一代新文人、一代新知识分子。就这个意义说,周作人是

---

① 《苦口甘口·苦口甘口》。

对的。

但是,周作人又似乎只看到那么几个人,并未充分看清他们所代表的新的社会基础,于是对"五四"新文化运动的成绩,估计得很悲观。他认为,日本明治维新运动中文化方面的成功,"因为明治文学的发达并不是单独的一件事,那时候在艺术、文史、理论的与应用的科学,以至法政军事各方面,同样有极大的进展,事实与理论正是相合。中国近年的新文化运动可以说是有了做起讲之意,却是不曾做得完篇,其原因便是这运动偏于局部,只有若干文人出来嚷嚷,别的各方面没有什么动静,完全是孤立偏枯的状态,即使不转入政治或社会运动方面去,也是难得希望充分发达成功的。"①今天我们来看,要指出他这样估计过于悲观,并不困难,要适当吸收其中的合理因素,却还值得着力。我们近些年来常听到一种论调,说"五四"新文学新文化运动反传统反得太过,造成了民族文化的断层,结果导致了"文化大革命",云云。关于所谓笼统的"反传统"其实并无其事,前文说过。至于是否"反得太过",就应该听听周作人的说法,他认为当时只有若干文人出来嚷嚷,新文化运动只是有了"做起讲"之意而已,根本没有

---

① 《苦口甘口·文艺复兴之梦》。

做得完篇，这是他的比较清醒的认识，我们也应该承认。这几个文人的嚷嚷，曾发生强烈的影响，固是事实；但旧中国的封建文化，弥天压顶地存在着，决不是几个文人的嚷嚷便能摇撼它，更是事实。"五四"新文学新文化运动根本没有造成什么"民族文化的断层"，倒是由于其他原因，后来出现了"五四"传统的"断层"。所谓"文化大革命"不但不是"五四"新文化运动的结果，它作为反科学反民主的运动，直接就是反"五四"的。我们要彻底否定"文化大革命"，就要卫护它所反对的，就要清醒地看到"五四"没有太过的问题，只有不及的问题，这就是周作人这段话里值得吸取的合理因素。

周作人还详论中国新文学新文化运动与欧洲文艺复兴运动之异同云："根据欧洲中世纪的前例，在固有的政教的传统上，加上外来的文化的影响，发生变化，结果成为文艺复兴这段光荣的历史。中国如有文艺复兴发生，原因大概也应当如此。不过这里有一件很不相同的事，欧洲那时外来的影响是希腊罗马的古典文化，古时候虽是某一民族的产物，其时却早已过去，现今成为国际公产，换句话说便是没有国旗在背后的，而在现代中国则此影响悉来自于强邻列国，虽然文化侵略未必尽真，总之此种文化带有国旗的影子，乃是事实。接受这些影响，要能消化吸收，又不留有反应与副作用，这比接受古典文化其事更难，此其一。希腊思想以人间为本位，虽学术艺文方面杂多，而根本则无殊异，以此与中古为君为神的思想相对，予以调剂，可以得到好结果，现代则在外国也是混乱时期，思想复杂，各走极端，欲加采择，苦于无所适从，此其二。民初新文化运动中间，曾提出民主与科学两大目标，但不久展转变化，即当初发言人亦改口矣，此可为一例。国民传统率以性情为本，力至强大，中国科举制度与欧洲文艺复兴同时开始，于今已有五百余年，以八股式的文章为手段，以做官为目的，奕世相承，由来久矣。用了这种熟练的技巧，应付新的事物，亦复绰有余裕，于是所谓洋八股者立即发生，即有极好的新思想，也遂由甜俗而终于腐化，此又一厄也。……本国固有的传统固不易于变动，但显明的缺点亦不可不力求克服，如八股式文的作法与应举的心理，在文人胸中尤多留存的可能，此所应注意者一。对于外国文化的影响，应溯流寻源，不仅以现代为足，直寻求其古典的根源而接受之，又不仅以一国为足，多学习数种外国语，适宜的加以采择，务深务广，依存之迹自可去矣，此所应注意者二。民国初年的新文化运动，参加者未尝无相当的诚意，然终于一现而罢，其失败之迹亦可为鉴戒。"①

---

① 《苦口甘口·文艺复兴之梦》。

这又是他对于"五四"新文化运动没有能得大成功——他干脆叫作失败的原因之更深入的分析,他强调新文化运动失败在洋八股手下,即有极好的新思想,也被洋八股所腐化,这是他把重视思想革命,重视反八股文化的思想贯彻到底的结论。

下篇　中国新文学史的"溯源"
——周作人对唐宋八大家和桐城派的批判

对桐城派,对唐宋八大家的批判,是周作人文艺思想的一个极重要的内容。这个批判,是"五四"新文学运动的一面鲜明旗帜,胡适、陈独秀、钱玄同、傅斯年都在这面旗帜下战斗过。周作人本来没有发言,待到胡、陈、钱、傅等的热烈讨论过去以后,他却长时期不倦地把这个问题的探讨继续下去。他是要通过这个批判,重新构建整个中国文学史观念。他的讲演《中国新文学史的源流》里面,说中国文学史上有"载道"与"言志"两派的消长,新文学是"言志"派的发展,而他举出的"载道"一派主要就是唐宋八大家、桐城派以及八股文。可见,他对唐宋八大家和桐城派的批判,就是要在中国文学史上找出一条反八家反桐城派的传统,来为中国新文学史"溯源"。文学史观念的重建,其本身就是一个文学史的过程。

所以这里来谈周作人对八家和桐城派的批判，不能不从胡、陈、钱、傅等人的批判，乃至更早些的清代几位先驱者的批判谈起。

一

新文学运动一开始，胡适的《文学改良刍议》里面，已经批判了"今之'文学大家'，文则下规姚、曾，上师韩、欧"，这实际上就是指桐城派；还批判了以陈三立为代表的"今日'第一流诗人'"，实际上就是指江西派；还指出"骈文律诗乃真小道耳"，实际上就是指"选学"。胡适这篇文章的正面主张，所谓"文学改良八事"，看来似乎也平常，然而一发表出来震惊一世者，原因之一，就在于它同时批判了当时统治文坛的三大权威流派。

但是，胡适的批判，还不是很尖锐的。他只说不该模仿姚、曾（以及一切古人），不该制造假古董；至于姚、曾本人如何，他没有说。他只说施耐庵、曹雪芹为文章正宗；至于过去一向被奉为正宗的明之前后七子和归有光，清之桐城派，地位又该怎样摆法，他也没有说。《新青年》第二卷第五号发表胡适此文，主编陈独秀加了简短的案语，指出"施、曹价值远在归、姚之上"，这是把胡适的锋芒磨利了一些。

紧接着《新青年》第二卷第六号上，陈独秀自己发表了《文学革命论》，便明确点出当时统治文坛的三大流派的名字，施以抨击：

> 今日吾国文学，悉承前代之敝。所谓桐城派者，八家与八股之混合体也。所谓骈体文者，思绮堂与随园之四六也。所谓西江派者，山谷之偶像也。

他特别着重批判了桐城派，把桐城派三祖方、刘、姚，和明代的前后七子，以及桐城派所尊奉的明代的归有光，并称为"十八妖魔"。他指出：

> 此十八妖魔辈，尊古蔑今，咬文嚼字，称霸文坛，反使盖代文豪若马东篱，若施耐庵，若曹雪芹诸人之姓名，几不为国人所识。若夫七子之诗，刻意模古，直谓之抄袭可也。归、方、刘、姚之文，或希荣誉墓，或无病而呻，满纸之乎者也矣焉哉，每有长篇大作，摇头摆尾，说来说去，不知道说些甚么。

这里面，对于七子，还只是简单地指出他们模古抄袭。对于桐城派,则是从他们文章的内容上的"希荣誉墓","无病而呻",到形式上的"摇头摆尾,说来说去,不知道说些甚么",全面地给以批判,语气特别激愤。这就给整个新文学运动对桐城派的批判定下了基调。

同在《新青年》这一期上,发表了钱玄同致陈独秀函,热情支持胡适的《文学改良刍议》,认为:

> 具此识力,而言改良文艺,其结果必佳良无疑。惟选学妖孽,桐城谬种,见此又不知若何咒骂。虽然,得此辈多咒骂一声,便是价值增加一分也。

这是比胡适、陈独秀更为鲜明的战斗的姿态。"选学妖孽,桐城谬种"这八个字,是钱玄同的一大发明,从此成为新文学运动者通用的语言,而为桐城派人士和骈文家们所痛心疾首。

钱玄同自己也很看重这个发明,以后他在《新青年》上发表的文章,几乎每次都要重申。例如:

> 惟选学妖孽所尊崇之六朝文,桐城谬种所尊崇之唐宋文,则实在不必选读。(学周秦两汉者,其人尚少。间或有之,

亦尚无选学妖孽桐城谬种之臭架子,故尚不讨厌。)①

而彼选学妖孽,桐城谬种,方欲以不通之典故,肉麻之句调,戕贼吾青年。②

玄同对于用白话说理抒情,极端赞成独秀先生之说,亦以为"其是非甚明,必不容反对者有讨论之余地,必以吾辈所主张者为绝对之是,而不容他人之匡正"。此等论调,虽若过悍,然对于迂谬不化之选学妖孽,桐城谬种,实不能不以如此严厉面目加之。③

除了那选学妖孽,桐城谬种,要利用此等文字,显其能做"骈文""古文"之大本领者,殆无不感现行汉字的拙劣,欲图改革,以期便用。④

有的读者来信批评他:"不赞成则可,谩骂则失之;如'选学

---

① 钱玄同致陈独秀函,载《新青年》3卷5号"通信"栏。
② 钱玄同致胡适函,载《新青年》3卷6号"通信"栏。
③ 同上。
④ 钱玄同:《中国今后之文字问题》,载《新青年》4卷4号。

妖孽，桐城谬种'，是不免无涵蓄。"①钱玄同在文末加了答语，断然拒绝了这个批评道：

> 至于"桐城派"与"选学家"，其为有害文学之毒菌，更烈于八股试帖，及淫书秽画。……此等文章，除了谩骂，更有何术？鄙人虽不文，亦何至竟瞎了眼睛，认他为一种与我异派之文章，而用相对的论调，仅曰"不赞成"而已哉？

钱玄同在"五四"运动之后，逐渐退为宁静的学者，但是他的坚决反对桐城派和"选学"的立场，一直未有改变。一九三四年他作自嘲诗，次联云："推翻桐选驱邪鬼，打倒纲伦斩毒蛇。"所谓"邪鬼"仍是"妖孽谬种"之意。他将这首诗抄寄给周作人看，对这一联自评云："火气太大，不像诗而像标语，真要叫人齿冷。"②用这种自嘲的口气来说话，可见他实在很自喜，明知可能被人嘲笑，亦在所不辞。

钱玄同诗句将"桐选"与"纲伦"相提并论，这也是"五四"时期新文化运动者的共同认识。他们反对桐城派

---

① 南丰美以美学基督徒悔：《文字改革及宗教信仰》，载《新青年》4卷6号"通信"栏。

② 见周作人：《过去的工作·饼斋尺牍》引。

和"选学"这些旧文学的斗争,是同反对儒家的"三纲五常"旧道德的斗争紧密联系在一起的。早在一九一七年,钱玄同已经说过:"比来忧心如焚,不敢不本吾良知,昌言道德文章之当改革。"① 道德之改革就是打倒纲伦,文章之改革就是推翻桐选。

二

上述胡、陈、钱对桐城派的批判,发难之始,自然都还比较笼统。《新青年》上接着便有傅斯年出来,对桐城派作了深入的分析:

> 今世流行文派,得失可略得言。桐城家者,最不足观,循其义法,无适而可。言理则但见其庸讷而不畅微旨也,达情则但见其陈死而不移人情也,纪事则故意颠倒天然之次序以为波澜,匿其实相,造作虚辞,曰,不如是不足以动人也。故析理之文,桐城家不能为,则饰之曰:文学家固有异夫理学也。疏证之文,桐城家不能为,则饰之曰:文章家固有异夫朴学也。抒感之文,桐城家不能为,则饰

---

① 钱玄同:《论应用文之亟宜改良》,载《新青年》3卷5号"通信"栏。

之曰：古文家固有异夫骈体也。举文学范围内事皆不能为，而忝颜曰文学家，其所谓文学之价值，可想而知。故学人一经瓣香桐城，富于思想者，思力不可见；博于学问者，学问无由彰；长于情感者，情感无所用；精于条理者，条理不能常。由桐城家之言，则奇思不可为训，学问反足为累。不崇思力，而性灵终必泯灭。不尚学问，而智识日益空疏。托辞曰"庸言之谨"，实则戕贼性灵以为文章耳。桐城嫡派无论矣，若其别支，则恽子居异才，曾涤笙宏才，所成就者如此其微，固由于桎梏拘束，莫由自拔。钱玄同先生以为"谬种"，盖非过情之言也。世有为桐城派辩者，谓桐城义法，去泰去甚。明季末流文弊，一括而去之。余则应之曰：桐城遵循矩，自非张狂纷乱者所可诃责，然吾不知桐城之矩果何矩也？其为荡荡平平之矩，后人当遵之弗畔；若其为桎梏心虑戕贼性情之矩，岂不宜首先斩除乎？①

傅斯年这样的分析，最足以显示出"五四"时期对桐城派的批判，是有历史渊源的。

原来，对桐城"义法"的批判，不自"五四"时期始。

---

① 傅斯年：《文学革新申义》，载《新青年》4卷1号。

早在乾嘉时代,钱大昕就引用王若霖的话,指出方苞是"以古文为时文,以时文为古文",认为这两句话"深中望溪之病"。① 钱大昕又曾批判方苞的"义法":"特世俗选本之古文,未尝博观而求其法,法且不知而义于何有",断言方苞"乃真不读书之甚者"。②

鸦片战争以后,早期改良主义者起来,对桐城派"义法"的批判更展开了。例如冯桂芬说:

> 蒙读书为文三四十年,所作实不少,而才力荼靡不能振,天实限之,亦何敢侈口论文?顾独不信义法之说。……文之佳者,随其平奇浓淡,短长高下,而无不佳。自然有节奏,有步骤,反正相得,左右咸宜,不烦绳削而自合,称心而言,不必有义法也;文成法立,不必无义法也。③

着重批判了"义法"的桎梏作用,响起了文学要求解放的新声。

另外,沿着钱大昕的路子,继续批判桐城派"义法"实是八股文之法的,则有如蒋湘南。他对桐城派三祖方苞、刘大

---

① 钱大昕:《潜研堂文集》卷三十一《跋方望溪文》。
② 同上书,卷三十三《与友人书》。
③ 冯桂芬:《显志堂稿》卷五《复庄卫生书》。

槲、姚鼐进行了全面的分析。他指出这三家文章之所以成为变相的八股文,病根在于他们取径不广,只晓得追随唐宋八大家,而且只是明代八股文家所选的唐宋八大家:

> 八家者,唐宋人之文,彼时无今代功令文之式样,故各成一家之法。自明代以八股文为取士之功令,其熟于八家古文者,即以八家之法,就功令文之范。于是,功令文中钩提伸缩动宕诸法,往往具八家遗意,传习既久,千面一孔,有今文无古文矣。豪杰之士欲为古文,自必力研古文,争胜负于韩柳欧苏之外,别辟一径,而后可以成家,……今三家之文,仍是千面一孔之功令文,特少对仗耳。以不对仗之功令文为古文,其所谓法者非也。①

这是很精辟的论述,清理出一条文学史的谱系:就是唐宋八大家至明代而与八股文联姻,至清代而生产出桐城派。可见后来钱玄同的"谬种"二字之评,实在不是随便下的。不仅如此,蒋湘南还从内容方面指出:

---

① 蒋湘南:《游艺录》卷下《论近人古文》。

> 夫文以载道,而道不可见,于日用饮食见之,就人情物理之变幻处阅历揣摩,而准之以圣经之权衡,自不为迂腐无用之言。今三家文误以理学家语录中之言为道,于人情物理无一可推得去,是所谈者乃高头讲章中之道也,其所谓道者非也。①

这仍然是钱大昕以来对桐城派的批判的深化,因为八股文(功令文)并不只是形式,更重要的还是它的内容,它所载的本来就是理学家语录中之道,高头讲章中之道。蒋湘南还用"奴、蛮、丐、吏、魔、醉、梦、喘"八个字来形容桐城派②,更是穷形尽相。

特别值得一提的是,"五四"之前,桐城籍的旧派文人当中已有痛斥桐城派的,其人名曰陈澹然,字剑潭。据汪辟疆回忆:

> 余于宣统初元屡见之宣南,大骂桐城派,又语余曰:"桐城文,寡妇之文也。寡妇目不敢邪视,耳不敢乱听,规行矩步,

---

① 蒋湘南:《游艺录》卷下《论近人古文》。
② 见蒋湘南:《七经楼文钞》卷四《与田叔子论古文书》。

动辄恐人议其后。君等少年，宜从《左》《策》讨消息，千万勿再走此路也。"①

这位陈先生并没有什么新的政治思想文化思想，连他都这样痛感桐城"义法"有如束缚寡妇的礼法，谆谆教导非桐城籍的后辈青年千万不要再走这条路，这本身就表现出桐城派的存在已经丧失合理性了。

前引傅斯年的一段话，可以说是乾嘉以来对桐城派的批判的一个完整的总结。他以清楚的条理，严密的逻辑，论证了桐城派"义法"在说理、抒情、记事各方面，也就是文章作用的一切方面，如何桎梏思虑，戕贼心灵，如何束缚住作者的手脚，会形成什么样的恶果，而又惯作哪些饰词，特别指出桐城派一向自矜的"矩"正是"宜首先斩除"的，桐城派之所以为"谬种"正是谬在这里。这种批判用现代科学的方法，把乾嘉以来对桐城派批判的水平，提高到一个新的阶段；"五四"时期对桐城派的集中批判，乃是乾嘉以来文学力求解放的历史趋势的一个必然发展。

---

① 汪辟疆：《汪辟疆文集·光宣诗坛点将录（合校本）》附章士钊《论近代诗家绝句·陈剑潭》一首汪辟疆注。

三

"五四"时期不能不对桐城派进行激烈的批判,还有政治上文化上的现实原因。

首先是辛亥革命失败的刺激。例如钱玄同不止一次回顾他自己从旧垒中来,反戈一击的道路。他说,他在一九〇三年以前,固然纯粹是清朝科举教育下的少年,有全套的封建思想,

> 就是从一九〇四年到一九一四(民国四年)这十一年间,虽然自以为比一九〇三年以前荒谬程度略略减少,却又曾经提倡保存国粹,写过黄帝纪元,孔子纪元;主张穿斜领古衣;做过写古体字的怪文章;并且点过半部《文选》;在中学校里讲过什么桐城义法。①

原来对于"选学"和桐城派,他都不是外行。可是,自袁世凯称帝以来,革命一连串的失败启发了他:

---

① 陈大齐:《保护眼珠与换回人眼》附钱玄同答语,载《新青年》5卷6号"通信"栏。

> 玄同自丙辰春夏以来，目睹洪宪皇帝之返古复始，倒行逆施，卒致败亡也；于是大受刺激，得了一种极明确的教训。知道凡事总是前进，决无倒退之理。……吾自有此心理，而一年以来，见社会上沉滞不进之状态，乃无异于两年前也，乃无异于七八年前也，乃无异于十七八年前也，乃无异于二十年前也。质而言之，今日犹是戊戌以前之状态而已。故比来忧心如焚，不敢不本吾良知，冒言道德文章之当改革。①

这就是说，现实的教训使人们认清了，桐城派是整个旧社会旧文化的一部分，是旧的反动政治的条件或滋生土壤，并且常常成为反动政治的一种工具。所以在改革者这一面，他们推进改革反对倒退的大业当中，必然要包括批判桐城派的斗争。

其次是桐城派人士在当时的现实表现。关于这方面，钱基博《现代中国文学史》说得很详细："初〔林〕纾论文持唐宋，故亦未尝薄魏晋。及入〔北京〕大学，桐城马其昶、姚永概继之；其昶尤吴汝纶高第弟子，号为能绍述桐城家言者，咸与纾欢好。而纾亦以得桐城学者之盼睐为幸；遂为桐城张目，

---

① 钱玄同：《论应用之文亟宜改良》，载《新青年》3卷5号"通信"栏。

而持韩柳欧苏之说益力！既而民国兴，章炳麟实为革命先觉；又能识别古书真伪，不如桐城学者之以空文号天下！于是章氏之学兴，而林纾之说熸！纾、其昶、永概咸去大学；而章氏之徒代之。纾愤甚！《与姚永概书》曰：……〔引文略。大要詈章炳麟为'庸妄巨子'。——舒芜〕盖卑卑无甚高论，而持唐以前之古为不可法，立说与前殊矣！既不得志于大学，会徐州徐树铮为段祺瑞谋主，以北洋军人魁桀，盗国之钧，自谓有文武才，喜谈桐城学；以纾三人文章尊宿，遂引之入所办正志学校。一时言桐城者咸得皈依，而纾尤倾心焉，其撰《徐氏评点古文辞类纂序》曰：'……吾友徐君又铮崇礼姚氏全集，已一一加墨；且集诸家评语标之眉间，间亦出以己意。又铮韬钤中人，而笃嗜古文如此！较余之驽朽为甚矣。……其刊成是篇，益发明古人用心所在，用以嘉惠后学者。呜呼！天下方汹汹！又铮长日旁午于军书，乃能出其余力以治此；可云得儒将之风流矣！'其所以推姚氏学者甚至！顾徐树铮军人干政，时论不予，而纾称为儒将，或者以莽大夫扬雄《剧秦美新》比之，惜哉！……

"未几，绩溪胡适自美国可伦比亚大学卒业归，倡文学革命之论，蕲于废古文，用白话；以民国七年入北京大学为教授，陈独秀、钱玄同诸人和之，斥纾三人为桐城余孽。纾心不平，作小说《妖梦》《荆生》诸篇，微言讽刺，以写郁愤。又致北京大学校长蔡元培书曰：……〔引文略。——舒芜〕是时胡适之学既盛，而信纾者寡矣！于是纾之学，一绌于章炳麟，再蹶于胡适。会徐树铮又以段祺瑞为奉直联军所败，纾气益索！然纾初年能以古文辞译欧美小说，风动一时；信足为中国文学别辟蹊径。独不晓时变，姝姝守一先生之言；力持唐宋，以与崇魏晋之章炳麟争；继又持古文，以与倡今文学之胡适争，丛举世之诟尤，不以为悔！殆所谓'俗士可与虑常'者耶！"

钱基博这位学者，无论如何不会有分毫的偏袒新文学运动的嫌疑，他这大段的叙述和分析，是比较公允可信的。从中可见，当时桐城派人士，特别是林纾，自己要站在文学进步过程的对立面，站在新文化运动的对立面，自己要依附当时声名狼藉的皖系军阀，特别是吹捧政治上臭不可闻的屠夫徐树铮，想借刺刀来维护桐城派，镇压新文化（林纾的小说《荆生》《妖梦》赤裸裸地表现了这种愿望），这就理所当然地激起了新文学运动对他们的愤怒声讨。只是钱基博说胡适、陈独秀、钱玄同诸人斥林纾、马其昶、姚永概三人为桐城余孽，这一点不太符合实际。胡、陈、钱的言论中从未说过"桐城余孽"的话。陈独秀还曾指出：

> 林老先生自命为古文家,其实从前吴挚甫先生就说他只能译小说不能做古文;现在桐城派古文正宗马先生也看不起他这种野狐禅的古文家;至于选派文家更不消说了。①

可见对林纾的态度是与对马、姚不同的。真正的桐城正宗看不起林纾,而林纾却引桐城派以自重,这也是事实。况且当时社会上被认为桐城派的还有不少,例如严复、王树枏、贺涛等人,都是非桐城籍的,桐城籍的则尚有姚永概之兄姚永朴,吴汝纶之子吴闿生,等等,总之他们还是能够组成一个阵容,并不像钱基博说的只是寥寥三个人而已。

不过,桐城派正宗文人也未尝不想联络利用林纾。章炳麟对桐城派估价不高,对林纾尤其鄙视。他说:

> 并世所见,王闿运能尽雅,其次吴汝纶以下,有桐城马其昶为能尽俗,(萧穆犹未能尽俗,)下流所仰,乃在严复、林纾之徒。②

---

① 臧玉海:《林纾与育德中学》附陈独秀答语,载《新青年》7卷3号"通信"栏。
② 章炳麟:《太炎文录》初编卷二《与人论文书》。

章炳麟特别瞧不起的是林纾"浸润唐人小说之风","与蒲松龄相次",这与桐城派正宗的看法同是一个偏见。但是他看出林纾为"下流所仰",换个褒义词来说,就是群众影响大。桐城派正宗文人同样会看到林纾的这个价值,加以他捍卫桐城派又是如此积极,这就是他们不能不联络利用林纾的原因。可惜林纾捍卫桐城派,除了无限的积极性之外,实在说不出任何像样的道理。他的一篇文章郑而重之地以《论古文之不当废》为题,里面却说:"知腊丁之不可废,则马班韩柳亦自有其不宜废者。吾识其理,乃不能道其所以然,此则嗜古者之痼也。"一出马便宣告自己的理绌词穷了。

于是,桐城派在"五四"时期的现实形象,便是仗着"两杆子"来把守大门:一是国人皆曰可杀的徐树铮的枪杆子(他另一只手也拿着批点《古文辞类纂》的笔杆子),一是行家所轻视的理绌词穷、胡搅蛮缠的林纾的笔杆子(他也恨不得亲手拿起枪杆子)。今天稍有科学和民主精神的论者,都应该承认当时新文化运动者说的"桐城谬种",已经是很克制的说法。

四

上述诸人"五四"时期对桐城派的批判,后来只有胡适在《五十年来之中国文学》里面继续有所发挥。他把晚清散文发展中的许多现象，都归结为桐城派想适应时代，有所变化，例如梁启超以桐城派文章来谈"时务"，作现实的政治文化评论，严复以桐城派文章翻译西洋学术论著，林纾以桐城派文章翻译西洋小说，等等，结果各有一定成就，而终于都没有大成，甚至完全失败，由此证明桐城派已经根本上不适应新时代的需要，整个旧文学应该被新文学所代替，不是旧文学中哪一派如何改良的问题。胡适的这个分析，相当能开拓人们的眼界，使人们不是局限于狭义的桐城正宗，而是从整个文学史的内在的纵横联系来看问题，看出桐城派的消灭的必然性。上面我们说桐城正宗看不起林纾而又联络他，利用他，那是重在二者之异，胡适则是重在二者之同，今天科学地历史地说来自然是大同中之小异罢了。

胡适这样的分析，也有不够之处，就是桐城派"义法"本身，究竟有哪些不好，没有得到更深入的阐明。桐城派除了不适应新的时代需要以外，在它自己的初兴和全盛时代，是否就没有问题了呢？它在那些时候的文学界，究竟扮演着什么样的角色呢？这些问题在"五四"以后，二十年代，三十年代，都不仅具有学术研究上的意义，而且具有政治文化上的现实意义，因为文学上的封建复古派和国民党反动政权相结合，还是现实生活中一股顽固的势力。于是，我们看到，"五四"以后一直坚持对桐城派"义法"本身进行批判的,是先前不大谈这方面问题的周作人。

周作人对桐城派的批判是挖根式的批判,就是说,他首先旗帜鲜明地否定唐宋八大家和宋明理学。我们前面介绍过清代几位批评桐城派的人,对唐宋八大家的权威还不敢公然冒犯,往往只能说桐城派是过于局限于八家,或者说他们是伪八家,等等。周作人则是彻底揭露了唐宋八大家、宋明理学和八股文、科举制度之间的关系。他有一段关于他自己怎样达到这种认识的回忆,说得很全面,很清楚:

> 汉文读通极是普通,或者可以说在中国人正是当然的事,不过这如从举业文中转过身来,他会附随着两种臭味,一是道学气,一是八大家气,这都是我所不大喜欢的。本来道学这东西没有什么不好,但发现在人间便是道学家,往往假多真少,世间早有定评,我也多所见闻,自然无甚好感。家中旧有一部浙江官书局刻方东树的《汉学商兑》,读了很是不愉快,虽然并不因此被激到汉学里去,对于宋学却起了反感,觉得这么度量褊窄,性情苛刻,就是真道学也有何可贵,倒还是不去学他好。还有一层,我总觉得清朝之讲宋学,是与科举有密切关系的,读书人标榜道学

作为求富贵的手段,与跪拜颂扬等等形式不同而作用则一。这些恐怕都是个人的偏见也未可知,总之这样使我脱离了一头羁绊,于后来对于好些事情的思索上有不少的好处。八大家的古文在我感觉也是八股文的长亲,其所以为世人所珍重的最大理由我想即在于此。……近日拿出安越堂校本《古文观止》来看,明了的感觉唐以后文之不行,这样说虽有似明七子的口气,但是事实无可如何。韩柳的文章至少在选本里所收的,都是些《宦乡要则》里的资料,士子做策论,官幕为章奏书启,是很有用的,以文学论不知好处在哪里,念起来声调好,那是实在的事,但是我想这正是属于八股文一类的证据吧。读前六卷的周秦文以至汉文,总是华实兼具,态度也安详沉着,没有那种奔兢躁进气,此盖为科举制度时代所特有,韩柳文勃兴于唐,盛行至于今日,即以此故,此又一段落也。①

他指出唐宋八大家文章的根本毛病,在于道学家的褊窄、苛刻、虚伪,在于科举制养成的奔兢躁进之气,这是很深刻的。他指出八大家的古文是八股文的长亲,这比蒋湘南说的八家文

---

① 《苦口甘口·我的杂学二》。

至明代而与八股文联姻,更进了一步。周作人还指出:

> 我看古来的古文可以分作两类,一类是左国庄韩司马的古文,一类是韩愈以后的古文。第一类是以古文体写的文章,里边有写得很好的,我们读了知道欢喜知道赏识,却又知道绝对做不来,至多只好略略学点手法拣点材料来加入我们自己的文章里,第二类的我实在不觉得他们有什么好,他们各人尽有聪明才力,但在所谓唐宋明清等等八大家这一路的作品却一无可取,文章自然不至于不通,然而没有生命,与上一类相比便有不同,我们觉得不值得怎么读,可是很不幸的是却易于学,易于模拟。①

冯桂芬、蒋湘南还只是说桐城派局限于唐宋八大家,模拟八家而成赝鼎,是伪八家,责任在于模拟者。周作人则指出八家本身就没有生命,比起有生命的秦汉文来,本来就易于学,易于模拟,责任在于唐宋八大家本身,这也比冯桂芬、蒋湘南进了一步。

周作人对唐宋八大家的批判,特别集中于韩愈。本来,周作人的老师章炳麟就反对唐宋八大家,但是他着重贬斥宋代六

---

① 《苦茶随笔·杨柳》。

家，他称为"吴蜀六士"，对唐代的韩柳还有恕词。周作人则痛斥韩愈不遗余力。他全面抨击了韩愈文章的内容和形式，即其所载之道与载道之文：

> 儒家是中国的国民思想，其道德政治的主张均以实践为主，不务空谈，其所谓虚实只是人之道，人人得而有之，别无什么神秘的地方，乃韩退之特别作原道，郑而重之而说明之曰：尧以是传之舜，舜以是传之禹，禹以是传之汤，汤以是传之文武周公，文武周公传之孔子，孔子传之孟轲，轲之死不得其传焉。其意若曰，于今传之区区耳。案，此盖效孟子之颦，而不知孟子本为东施之颦，并不美观也。孟子的文章我已经觉得有点儿太鲜甜，有如生荔枝，多吃要发头风，韩退之则尤其做作，摇头顿足的作态，如云，呜呼，其亦幸而出于三代之后，不见黜于禹汤文武周公孔子也，其亦不幸而不出于三代之前，不见正于禹汤文武周公孔子也，这完全是滥八股腔调，读之欲呕，八代的骈文里何尝有这样的烂污泥？平心说来，其实韩退之的诗，如山石荦确行径微，黄昏到寺蝙蝠飞，我也未尝不喜欢，其散文或有纰缪，何必吹求责备，但是不幸他成为偶像，将这样的思想文章作为后人模范，这以后的时代里盛行时文

的古文，既无意思，亦缺情理，只是琅琅好念，如唱皮黄而已，追究起这个责任来，我们对于韩退之实在不能宽恕。①

清初的戴震，早已反复痛斥宋代理学家把理看成"如有物焉，得于天而具于心"的主张之歪曲真理，祸国殃民。但是，孟子的道统传授图，实是理学家之说的祖师；韩愈把他自己添进图里去，也在宋儒之前。戴震要假孟子之名来宣扬新说，把书名题为《孟子字义疏证》，自然不便指责孟子；他也许看不起韩愈只是文人而高谈道统，更是不屑一提。但韩愈在文学史上实是一尊大偶像，所以周作人指出他效孟子的东施之颦，就非常必要了。关于韩文的"摇头顿足的作态"，周作人又曾指出：

> 韩文则归纳赞美者的话也只是吴〔闿生〕云伟岸奇纵，金〔圣叹〕云曲折荡漾，我却但见其装腔作势，摇首弄姿而已，正是策士之文也。②

---

① 《立春以前·文学史的教训》。
② 《苦茶随笔·厂甸之二》。

搔首弄姿是媚,而媚的另一面,从来就是狠。正如周作人所指出:

> 伍〔绍棠〕氏说六朝人的书用骈俪而质雅可诵,我尤赞成,韩愈文起八代之衰,其文章实乃虚骄粗犷,正与质雅相反,即盘谷序或送孟东野序也是如此。①

我们知道有一句名言:"作风即人"。韩愈文章的虚骄粗犷,又是韩愈其人的气象的表现。周作人说:

> 我怕见小头目。俗语云,大王好见,小鬼难当。我不很怕那大教祖,如孔子与耶稣总比孟子与保罗好亲近一点,而韩退之又是自称是传孟子的道统的,愈往后传便自然气象愈小而架子愈大,这是很难当的事情。②

人的气象与架子成反比例,这倒是一个重要的发现,很有助于知人论世。照这样说来,奉韩愈为祖师的桐城派,自然是气象

---

① 《风雨谈·关于家训》。
② 《风雨谈·蒿庵闲话》。

更小而架子更大了。

对柳宗元,周作人评论不多,但是也明确地表态云:"柳君为文矜张作态,不佞所不喜。"①

五

周作人在批判以韩愈为首的唐宋八大家的基础上来批判桐城派,可谓得高屋建瓴之势。他指出,桐城派比韩愈更加道学化,八股化:

> 他们以为韩愈的文章总算可以了,然而他在义理方面的造就不深;程朱的理学总算可以了,然而他们所作的文章却不好。于是想将这两方面的所长合而为一,因而有"学行继程朱之后,文章在韩欧之间"的志愿。他们以为"文即是道",二者并不可分离,这样的主张和八股文是很接近的。而且方苞也就是一位很好的八股文作家。②

所谓"文即是道",的确是桐城派的很大的特点。周作人

---

① 《药味集·再谈俳文》。
② 《中国新文学的源流·第四讲 清代文学的反动(下)——桐城派古文》。

指出：

> 他们主张"学行继程朱之后"，并不是处处要和程朱一样，而是以为：只要文章作得好，则"道"也即跟着好起来，这便是学行方面的成功。①

这一点很少有人指出来过。必须明白这一点，才明白正宗桐城派为什么都不仅以文人自居，他们的影响为什么不仅限于文学方面。

前文说过，陈独秀把桐城派三祖方、刘、姚，和明代的前后七子（以及桐城派所尊奉的归有光），并称为"十八妖魔"，那是就中国文学史的总趋势而言，是指马东篱、施耐庵、曹雪芹的卓越的白话文学已经产生，而"十八妖魔"还坚持旧的正统，逆文学史的新趋势而动。陈独秀的战斗的立场是有道理的。但是，倘若从这个高的层次降下来一点，不是从第一义而是从第二义而言，则桐城派与前后七子还是有区别的。胡适指出过，明七子硬要模仿秦汉，文章往往作的不通，桐城派的好处则是把文章作通了。周作人在批判桐城派的时候，态

---

① 《中国新文学的源流·第四讲　清代文学的反动（下）——桐城派古文》。

度是公允的：

> 不管他们的主张如何，他们所作出的东西，也仍是唐宋八大家的古文。并且，越是按照他们的主张作出的，越是作得不好。……不过，和明代前后七子的假古董相比，我以为桐城派倒有可取处的。至少他们的文章比较那些假古董为通顺，有几篇还带些文学意味。而且平淡简单，含蓄而有余味，在这些地方，桐城派的文章，有时比唐宋八大家的还好。虽是如此，我们对他们的思想和所谓"义法"，却始终是不能赞成，而他们的文章统系也终和八股文最相近。①

这样的评价，足以成为陈独秀那种根本性的评价的有力补充。就是说，逆历史方向而动的潮流，尽管它里面也有种种"最优选择"，但是都不会改变逆流之为逆流的性质，终于都是无效的。

周作人对桐城"义法"有很深刻的批评：

---

① 《中国新文学的源流·第四讲　清代文学的反动（下）——桐城派古文》。

《王湘绮年谱》卷五记其论文语云，明代无文，以其风尚在制艺，相去远绝也，茅鹿门始以时文为古文，因取唐宋之似时文者为八家。这样一说更是明了，八家本各成一家之法，以时文与古文混作的人乃取其似时者为世俗选本，于是遂于其中提出所谓义法来，以便遵守，若博而求之，则不能得此捷径矣。方望溪读过许多书，但在奇正浓淡详略本无定法的古文中间，欲据选本以求捷径，其被称为不读书亦正是无足怪也。①

桐城派常被讥为"不读书"，最感恼火。经周作人这么一指出，无论你读得再多的书，只要你突不破世俗选本指引的"捷径"，就与不读书无异，这是公平如实的，桐城派中有识者清夜自省，应该比较心服了。桐城末流确实也是不读书，守着一部《古文辞类纂》安身立命，造成这种空疏固陋的学风的，桐城初祖正不得辞其责。姚鼐的气象，本来比方苞大一些，但是他自己束缚了自己，也正如周作人所指出：

> 姚君也并不是没有他自己的本领的人，而无端背上去

---

① 《知堂乙酉文编·古文与理学》。

抗了一个方望溪，又加上归震川与韩退之，倒反弄得自己也爬走不动。①

关于按"义法"作文的害处，周作人举过一个生动的例子：清人傅霖的《咒园遗稿》，上面有无锡朱荫培的一序一跋。而朱荫培自己的《澹盦文存》中，则将此序与跋合并为一篇。周作人加以对比后指出：合并之本，

> 大加修改，益朗朗可诵矣。尹〔继美〕评云吞吐有神，可谓适当。但如想要在其中采集事实，则远不及原刻二文。如序言卒时年仅三十七，跋言时为咸丰七年十月初五未时，改本均无。又序云遗橐千金，散之立尽，改本乃作万金。跋云将死邻左右厌苦之，雨荺曰，朱某必殓而葬我，不汝累也，改本添两句曰，我前世僧也，行将去矣。实的事情削去，虚的增上，皆为行文计耳，一唱三叹，附以教训，文成矣而情益减，良不如〔朱荫培的芸香阁〕《尺一书》中致傅雨荺一札，多大皮囊装得如许愁恨云云，虽是秋水

---

① 《立春以前·国语文的三类》。

轩调,尚得见多少情意也。①

朱荫培并不是桐城派名家,但是,《澹盫文存》上面诸人题词,说他壮年好为骈俪诙谐之文,后来从桐城派名家梅曾亮得闻"义法"之说,乃识桐城宗派之学,所以用他作例子还是适当的。周作人对他总评云:

> 今读一过,简炼可取,而其屈就义法处恒失之略或夸,此盖是桐城派文必然的短长也。②

桐城派除了提倡"义法",还讲究声调,刘大櫆已倡此论,至姚鼐把它纳入"神理气味,格律声色"八字诀中而完全定下来。周作人对此作了深入的剖析。他这方面的议论很多,兹举其说得最完整的一段话:

> 其实古文与八股之关系不但在桐城派为然,就是唐宋八大家传诵的古文亦无不然。韩退之诸人固然不曾考过八

---

① 《药堂语录·澹盫文存》。
② 同上。

股时文,不过如作文偏重音调气势,则其音乐的趋向必然与八股接近,至少在后世所流传模仿的就是这一类。

〔钱振锽〕《摘星说诗》中云:

"同年王鹿鸣颇娴曲学。偶叩以律,鹿鸣曰,君不作八股乎,亦有律也。"此可知八股通于音乐。〔吴闿生〕《古文苑》录韩退之《送董邵南游河北序》,首句曰"燕赵古称多慷慨悲歌之士",选者注云:

"故老相传,姚姬传先生每诵此句,必数易其气而始成声,足见古人经营之苦矣。"此可知古文之通于音乐,即后人总以读八股法读之,虽然韩退之是否摇头摆腿而作的尚不可知。总之这用听旧戏法去赏鉴或写作文章的老毛病如不能断根去掉,对于八股宗的古文之迷恋不会改变,就是真正好古文的好处也不会了解的。我们现在作文总是先有什么意思要说,随后去找适当的字句用适当的次序写出来,这个办法似乎很简单,可是却不很容易,在古文中毒者断乎来不成,此是偶成与赋得之异也。①

综合周作人所论,桐城派的面目相当清楚了:它不是孤立

---

① 《苦茶随笔·厂甸之二》。

的，而是由唐宋八大家，经八股文，必然发展下来的。它的好处是简练有法，但是它的法是形式主义的，往往为行文计，削实增虚，作唱叹吞吐之状，不是失之过略，便是过夸；又离开内容，偏重声调气势，又有一定的谱，无形之间成了按谱填词。这样的文章，并不难学，可是哪里写得出有内容有性情的真正好文章来呢？用这样的文章来"载道"，也载不动程朱理学的宏富内容，只能摭拾高头讲章中一些模糊影响、皮毛门面话头罢了。

六

"五四"新文学运动对桐城派的批判，既是中国文学史的必然的发展，又是作为当时中国改革运动一部分的必要的斗争，今天完全应该给以肯定，不应该否定。

那么，从胡适、陈独秀、钱玄同、傅斯年、周作人诸人对桐城派的批判中，今天应该肯定哪些合理的核心呢？

这里首先有一个方法论的问题。

像桐城派这样一个统治了清代文坛两百年的文学流派，是一个历史的感性的存在，而不仅仅是某种纯理论的文学主张。乾嘉以来批评桐城派"义法"的人，是实实在在地感到它的束缚的，"五四"新文学运动的先驱们是实实在在感受到它的压迫的，实实在在地遭受到它的反噬的。他们不是抽象地而是具体地把握桐城派这个对象，他们的批判不是冷静的理论演绎，而是活生生的有血有肉的文化斗争。应该肯定，对于任何一种活的现实的文化现象，这样的把握方法和批判方法，也许并非唯一正确的，但却是最接近于无限丰富的客观真实的。

我们作为后来者，对先驱者们的有血有肉的遗产，应该采取什么态度呢？当然，不是要原样全盘地继承，而是要在更高的水平上批判地继承。但是，更高的水平不等于远离历史的具体性，所谓批判地继承绝不是把血肉抽干。我们应该比前人更为开阔地把握那个历史的具体性，应该以我们的更热更新的血肉去充实前人的活生生的文化斗争，这才是我们应取的态度。

因此，我们应该从建设高度民主的社会主义精神文明这个广阔视野来观察问题，应该比前人更痛感桐城派的"道统"和"文统"的反民主反科学的性质，更加深入地剖析桐城派从内容到形式的一整套封建主义的结构。不管今天纯学术地讨论起来，对宋明理学的评价可以有多少不同的意见，历史上却只有一种理学活生生地存在过，那就是鲁四老爷的理学，不动声色不沾血腥地吃掉了祥林嫂的理学；那就是冯乐山的理学，有声有色鲜血淋漓地吃掉了鸣凤的理学。桐城派所载的就是这个道。离开这个道，就不是桐城派，不是历史上现实地存在过的桐城派。

所谓"桐城义法",完全是为这样的道学服务,适应于这样的道学的需要的。从胡适到周作人,都有些孤立地肯定桐城派还能注重语法修辞这一点,这是他们的不彻底处。注重语法修辞,是整个文章发展的过程,不是哪一家哪一派的文学思想。前面介绍过桐城陈澹然大骂"桐城文,寡妇之文也",这倒是一语破的,说破了"义法"的实质。鲁迅很少直接批判桐城派的言论,但是他有一篇名文,专论"寡妇主义",其中描写"寡妇主义者"的心理:

> 生活既不自然,心状也就不变,觉得世事都无味,人物都可憎,看见有些天真欢乐的人,便生恨恶。尤其是因为压抑性欲之故,所以对于别人的性底事件就敏感,多疑;欣羡,因而妒嫉。其实这也是势所必至的事;为社会所逼迫,表面上固不能不装作纯洁,但内心却终于逃不掉本能之力的牵掣,不自主地蠢动着缺憾之感的。①

这种"寡妇主义者"有一套教育青年的准则:

---

① 鲁迅:《坟·寡妇主义》。

……在寡妇或拟寡妇所办的学校里，正当的青年是不能生活的。青年应当天真烂漫，非如她们的阴沉，她们却以为中邪了；青年应当有朝气，敢作为，非如她们的萎缩，她们却以为不安本分了：都有罪。只有极和她们相宜，——说得冠冕一点罢，就是极其"婉顺"的，以她们为师法，使眼光呆滞，面肌固定，在学校所化成的阴森的家庭里屏息而行，这才能敷衍到毕业；……①

这其实就是"寡妇主义的义法"。这种教育的恶果是：

　　许多女子，都要在那冷酷险狠的陶冶之下，失其活泼的青春，无法复活了。全国受过教育的女子，无论已嫁未嫁，有夫无夫，个个心如古井，脸若严霜，自然倒也怪好看的罢，但究竟也太不像真要人模样地生活下去了；……②

鲁迅当时谈的具体问题是女子教育问题，但是他对作为一种文化的"寡妇主义"的分析，是有普遍意义的，哪里有"寡妇主

---

① 鲁迅：《坟·寡妇主义》。
② 同上。

义",不分男女,不分教育或文学,哪里都能适用。我们完全可以把鲁迅这篇文章,当作他对桐城派"寡妇主义"的批判来看,从中可以学到许多有用的东西。鲁迅这是在最活生生的有血有肉的姿态上抓住了一种文化来分析来批判,我们也只有这样来抓住现实的桐城派,来看看说它是"谬种"是"寡妇之文",究竟符合不符合实际;否则,种种抽象的讨论,可以把桐城派描绘成任何样子,唯独不是它曾经现实存在过的样子,说好说坏都不相干了。

目 录

上编　中国新文学的源流

- 003 / 小　引
- 006 / 第一讲　关于文学之诸问题
- 022 / 第二讲　中国文学的变迁
- 035 / 第三讲　清代文学的反动（上）——八股文
- 049 / 第四讲　清代文学的反动（下）——桐城派古文
- 060 / 第五讲　文学革命运动
- 074 / 附录一　论八股文
- 080 / 附录二　沈启无选辑《近代散文钞》目录

下编　国语文学谈

- 093 / 《近代散文钞》序
- 097 / 《近代散文钞》新序
- 100 / 《中国新文学大系·散文一集》导言

- 126 / 思想革命
- 129 / 贵族的与平民的
- 133 / 国粹与欧化
- 137 / 国语改造的意见
- 149 / 国语文学谈
- 155 / 谈策论
- 160 / 汉文学的传统
- 168 / 中国的思想问题
- 178 / 汉文学的前途
- 188 / 国语文的三类
- 193 / 文学史的教训
- 202 / 古文与理学
- 209 / 关于近代散文

上编 中国新文学的源流

中国文学作品集

小　引

　　本年三四月间沈兼士先生来叫我到辅仁大学去讲演。说话本来非我所长，况且又是学术讲演的性质，更使我觉得为难，但是沈先生是我十多年的老朋友，实在也不好推辞，所以硬起头皮去讲了几次，所讲的题目从头就没有定好，仿佛只是什么关于新文学的什么之类，既未编讲义，也没有写出纲领来，只信口开河地说下去就完了。到了讲完之后，邓恭三先生却拿了一本笔记的草稿来叫我校阅，这颇出于我的意料之外，再看所记录的不但绝少错误，而且反把我所乱说的话整理得略有次序，这尤其使我佩服。同时北平有一家书店愿意印行这本小册，和邓先生接洽，我便赞成他们的意思，心想一不做二不休，索性印了出来也好。就劝邓先生这样办了。

　　我想印了出来也好的理由是很简单的。大约就是这几点。其一，邓先生既然记录了下来，又记得很好，这个工作埋没了也可惜。其二，恰巧有书店愿印，也是个机缘。其三，我自己说过就忘了，借此可以留个底稿。其四，有了印本，我可以分给朋友们看看。这些都有点儿近于自私自利，如其要说得冠冕一点，似乎应该再加上一句：公之于世，就正大雅。不过我觉得不敢这样说，我本不是研究中国文学史的，这只是临时随便说的闲话，意见的谬误不必说了，就是叙述上不完不备草率笼统的地方也到处皆是，当作谈天的资料对朋友们谈谈也还不妨，若是算它是学术论文那样去办，那实是不敢当的。万一有学者看重我，定要那样地鞭策我，我自然也硬着头皮忍受，不敢求饶，但总之我想印了出来也好的理由是如上述的那么简单。所可说的只有这四点罢了。

末了，我想顺便声明，这讲演里的主意大抵是我杜撰的。我说杜撰，并不是说新发明，想注册专利，我只是说无所根据而已。我的意见并非依据西洋某人的论文，或是遵照东洋某人的书本，演绎应用来的。那么是周公孔圣人梦中传授的吗？也未必然。公安派的文学历史观念确是我所佩服的，不过我的杜撰意见在未读三袁文集的时候已经有了，而且根本上也不尽同，因为我所说的是文学上的主义或态度，他们所说的多是文体的问题。这样说来似乎事情非常神秘，仿佛在我的杜园瓜菜内竟出了什么嘉禾瑞草，有了不得的样子；我想这当然是不会有的。假如要追寻下去，这到底是那里的来源，那么我只得实说出来：这是从说书来的。他们说三国什么时候，必定首先喝道：且说天下大势，合久必分，分久必合。我觉得这是一句很精的格言。我从这上边建设起我的议论来，说没有根基也是没有根基，若说是有，那也就很有根基的了。

中华民国二十一年七月二十六日，周作人记于北平西北城。

第一讲　关于文学之诸问题

　　文学是什么

　　文学的范围

　　研究的对象

　　研究文学的预备知识

　　文学的起源

　　文学的用处

　　现在所定的讲题是"中国的新文学运动",是想在这题目之下,对于中国新文学运动的源流,经过,和它的意义,据自己所知道所见到的,加以说明。但为了说明的方便,对于和这题目有关的别的问题,还须先行说明一下:

一、文学是什么？

关于文学是什么的问题，至今还没有一定的解答。这本是一个属于文学概论范围内的题目，应当向研究文学的专门家去问，无奈专门家至今也并没有定论。试翻开文学概论一类的书籍看，彼此所下的定义各不相同。本来这也是一件很困难的事。有一位英国人曾作过一篇文章，里面大体的意思是说：在各种学问里面，有些是可以找出一定的是非来的，有些则不能。譬如化学上原子的数目，绝不能同时有两个，有两个则必有一对一错。假如有人发见了一种新原子，别人也断不能加以否认。生物学上的进化论也是如此，既然进化论是对的，一切和进化论相反对的学说便都是错的。另外如哲学宗教等等，则找不出这样绝对的是与非来。自古代的希腊到现在，自亚力士多德的哲学，以至詹姆斯和杜威的实验哲学，派别很多很多，其中谁是谁非，是没有法子断定的，到了宗教问题尤甚。这是一种所谓不可知论。我觉得文学这东西也应是这种不可知的学问之一种，因而下定义便很难。现在，我想将我自己的意见说出来，聊供大家的参考。因为对于文学的理论，自己不曾作过专门的研究，其中定不免有许多可笑的地方。大家可向各种文学概论书籍里面去找,如能找到更好的说法那便最好了。

在我的意见——其实也是很笼统的——以为:

> "文学是用美妙的形式,将作者独特的思想和感情传达出来,使看的人能因而得到愉快的一种东西"。

这样说,自然毛病也很多,第一句失之于太笼统;第二句是人云亦云,大概没有什么毛病;第三句里面的"愉快"二字,则必会有人以为最不妥当。不过,在我的意思中,这"愉快"的范围是很广的:当我们读过一篇描写"光明"描写"快乐"的文字之后,自然能得"愉快"的感觉;读过描写"黑暗"描写"凄惨"的作品后,所生的感情也同样可以解作"愉快"——这"愉快"是有些爽快的意思在内。正如我们身上生了疮,用刀割过之后,疼是免不了的,然而却觉得痛快。这意思金圣叹也曾说过,他说生了疮时,关了门自己用热水烫洗一下,"不亦快哉"。这也便是我的所谓"愉快"。当然这"愉快"不是指哈哈一笑而言。

实际说来,愉快和痛苦之间,相去是并不很远的。在我们的皮肤作痒的时候,我们用手去搔那痒处,这时候是觉得愉快的,但用力稍过,便常将皮肤抓破,便又不免觉得痛苦了。在文学方面，情形也正相同。

一位法国诗人，他所作的诗都很难懂，按他的意见，读诗是和儿童猜谜差不多，当初不能全懂，只能了解十分之三四，再由这十分之三四加以推广补充，得到仿佛创作的愉快。以后了解的愈多，所得的愉快也愈多。正如对儿童打一谜语说"蹊跷实蹊跷，坐着还比立着高"在儿童们乍听时当然不懂，然而好奇心使得他们高兴，等后来再告诉他们说这是一个活的东西，如此便可以悟得出是一只狗，也便因而感到更多的愉快了。

二、文学的范围

近来大家都有一种共通的毛病，就是：无论在学校里所研究的，或是个人所阅读的，或是在文学史上所注意到的，大半都是偏于极狭义的文学方面，即所谓纯文学。在我觉得文学的全部好像是一座山的样子，可以将它画作山似的一种图式：

我们现在所偏重的纯粹文学，只是在这山顶上

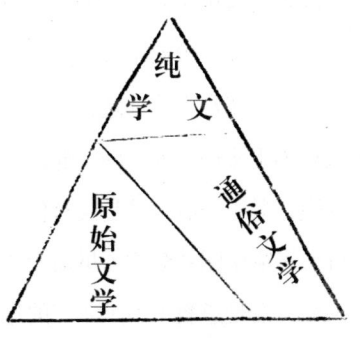

的一小部分。实则文学和政治经济一样，是整个文化的一部分，是一层层累积起来的。我们必须拿它当作文化的一种去研究，必须注意到它的全体，只是山顶上的一部分是不够用的。

图里边的原始文学是指由民间自己创作出来，供他们自己歌咏欣赏的一部分而言，如山歌民谣之类全是。这种东西所用的都是文学上最低级的形式，然而却是后来诗歌的本源。现在，一般研究中国文学或编著中国文学史的，多半是从《诗经》开始，但民间的歌谣是远在《诗经》之前便已产生了，抛开了这一部分而不加注意，则对于文学的来源便将无法说明。

通俗文学是比较原始文学进步一点的。它是受了纯文学的影响，由低级的文人写出来，里边羼杂了很多官僚和士大夫的升官发财的思想进去的，《三国演义》，《水浒》，《七侠五义》，以及大鼓书曲本之类都是。现在的报纸上也还每天一段段的登载这种东西。它所给予中国社会的影响最大。记得有一位英国学者，曾到希腊去过，回来后他向人说，希腊民间的风俗习惯，还都十分鄙陋，据他看来，在希腊是不曾生过苏格拉底亚力士多德诸人一样。他们的哲学只有一般研究学问的人们知道，对于一般国民是没有任何影响的。在中国，情形也是这样。影响中国社会的力量最大的，不是孔子和老子，不是纯粹文学，而是道教（不是老庄的道家）和通俗文学。因此研究中国文学，更不能置通俗文学于不顾。

所以，照我的意见，今后大家研究文学，应将文学的范围扩大，不要仅仅注意到最高级的一部分，而要注意到它的全体。

三、研究的对象

研究文学有两条道路可走：

（1）科学的：

  （a）文学

  （b）文学史

（2）艺术的：

  （a）创作

  （b）赏鉴

第一种是科学的研究法，是应用心理学或历史等对文学加以剖析的。譬如对于文学的结构，要研究究竟怎么样排列才可使人更受感动，这便是应用心理学的研究法。日本帝国大学教授夏目漱石的《文学论》，现已有人译出了，这本书即是用这样的方法去研究文学的。至于文学史则是以时代的先后为序而研究文学的演变或研究某作家及其作品的。不过，我以为文学史的研究在现今那样办法，即是孤立的，隔离的研究，多少有些不合适:既然文学史所研究的为各时代的文学情况,那便和社会进化史,政治经济思想史等同为文化史的一部分,因而这课程便应以治历史的态度去研究。至于某作家的历史的研究,那便是研究某作家的传记,更是历史方面的事情了。这样地治文学的实在是一个历史家或社会学家,总之是一个科学家是无疑的了。

第二条路子是艺术的,即由我们自己拿文学当作一件艺术品而去创作它或作为一件艺术品而对它加以赏鉴。

要创作,天才是必要的条件。我们爱好文学,高兴时也可以自己去写一点,无论是诗歌,散文,或是小说。但如觉得自己没有能写得好的才能,即可抛开,这不是可以勉强的事。在学校上课,别的知识技能都可从课堂上学得,惟有创作的才能学不来。按道理讲,在艺术学校里边应该添设文学一科,将如何去创作文学的事正式地加以研究指导。但这实在困难。学作画学过四年之后,提笔便可作出一幅画了,学文学的创作却不能有如此的成绩。有很多的大作家,都不是因为学习创作而成功的。而且,说也奇怪,好像医学和工学对文学更有特别的帮助一样,很多文学家起始都是学医或学工程的。契诃夫(Anton P.Chekhov)是学医的,汤姆斯哈代(Thomas Hardy)是学工的,中国的郭沫若是学医的,成仿吾是学工的。此外还很多。

大家也最好不要以创作为专门的事业，应该于创作之外，另有技能，另有职业，这样对文学将更有好处。在很早以前，章太炎先生便作这样的主张，他总是劝人不要依赖学问吃饭，那时是为了反对满清，假如专依学问为生，则只有为满清做官，而那样则必失去研究学问的自由。到现在我觉得这种主张还可适用。单依文学为谋生之具，这样的人如加多起来，势必造成文学的堕落。因为，现在的文学作品，也和工艺出品一样，已经不复是家庭手工业时代，作出东西之后，挂在门口出卖是不成了，必得由资本家的印刷所去印行才可。在这种情形之下，如专依卖文糊口，则一想创作，先须想到这作品的销路，想到出版者欢迎与否，社会上欢迎与否，更须有官厅方面的禁止与否，和其他种种的顾虑，如是便一定会生出文学上的不振作的现象来。一位日本的普罗文学者的领袖，他作过一本叫做《日本普罗文学运动史》，在里边他也说出了同样的意见。因为日本的普罗作家，大半都须出卖稿子于资产阶级的出版家以维持生活，如是，他把最用心的作品，卖给那利用普罗文学以渔利的资本主义的杂志社、书店，更没有力量为自己的杂志上作出好的文章来。其结果，使一个普罗作家的精力消耗不少，而好的普罗文学却终于产生不出来。如果另有专业而不这样的专赖文学为生，则作品的出卖与否没有关系，在创作的时候，自然也就可以免去许多顾虑了。

赏鉴文学,是人人都可以作得到的,并无需乎天才。看见一幅图画,假如那图画画得很好,各种颜色配合适度,即在不会作画的人看来,是也会觉得悦目的。对于文学作品亦复如此。无论作什么事情的人,都同样有欣赏文学的能力。现在研究学问的人,似乎将各种学问分隔得太远了,学文学的每易对科学疏淡,而学科学的则又以为文学书籍只有文科的人才应读。其实是不然的。于此,我要说一说我是怎样和文学发生了关系的,这是我自己走过的道路,说起来觉得切实一点,对大家也许还有些用处。正如走路,要向人说明到某处怎样走法,单是说明路程的方向是不够的,必须亲自走过,知道那路上的各种具体的标志,然后说出来于人才有些帮助。

我本是学海军的,对文学本很少接近的机会,后来,因为热心于民族革命的问题而去听章太炎先生讲学,那时候章先生正鼓吹排满,他讲学也是为此。后来又因留心民族革命文学,便得到和弱小民族的文学接近的机缘。各种作品,如芬兰,波兰,犹太,印度等国的,有些是描写国内的腐败的情形,有些是描写亡国的惨痛的,当时读起来很受到许多影响,因而也很高兴读。后来,不仅对这些弱小国家的发生兴趣,对于强大国家的作品,也很想看一看究竟是什么样子,于是,慢慢就将范围扩大开来了。

只要有机缘有兴趣，学海军的人，对于文学作品也能够阅读赏鉴，从事于别种职业的人，自然更没有不能够的。

四、研究文学的预备知识

所谓预备知识者，也可以说就是指高级中学内的各种功课而言，我时常听到一般青年朋友说，他是爱好文学的，科学对他没有用处，尤其是数学，格外使人讨厌。将来既是要研究文学，自然可以不必去学这些东西。这实是一种不好的现象，对于训练思想说，科学，连数学在内，是有很大的用处的。现在，要从高中的普通课程中，提出和文学的关系比较更多的几种，向大家一说：

1. 文字学——这是不消说的，研究文学的人，当然先须懂得文字。现在国文系里也都有这种科目，不再多说。

2. 生物学——有人曾问我人生究竟是怎么一回事，我回答说我也说不出，如必欲要我回答这问题，那么，最好你去研究生物学。生物学说明了生物的生活情形，人也是生物之一，人生的根本原则便可从这里去看出来了。文学，和生物学一样，是以人生为对象的东西，所以，这两者的关系特别密切，而研究文学的人,自然也就应当去研究一下生物学了。

3. 历史——历史所记载的是人类过去生活的经验,是现在人类生活的根据。比如文学史,是以前人生行为的表现,在文学上所能看得出者。其他讲政治经济之变迁的,也都有研究的必要,有如人的耳目口鼻,每部分都各有其作用。几年前,郭沫若就主张诗人必须懂得人类学,——即社会学,亦即我所说的历史,不过我所说的历史的范围是比较广些。当时很有人以为郭先生的主张奇怪,何以诗人必须懂人类学呢?其实这是很容易知道的:人类学是研究人类形体精神两方面的学问,对于研究文学的人,帮助的确很多。

近来治文学的人,也有应用历史方法的了,然而有时又过于机械。近来在某杂志上见到一篇文章,说隋代的中国文学是商业时代的文学。其实,中国的社会,在隋以前和隋以后,并没有多少不同,前后都是手工业时代,没有变化,工业上既没有变化,怎会有了不同的商业时代呢?这是因为没有看清中国和西洋近代的不同,说来便与事实不相符合了。

五、文学的起源

要说明中国的新文学运动,先须有说明的根据,这便是关

于文学起源的问题:

从印度和希腊诸国,都可找出文学起源的说明来,现在单就希腊戏剧的发生说一说,由此一端便可知道其他一切。

大家都知道,文学本是宗教的一部分,只因二者的性质不同,所以到后来又从宗教里化分了出来。宗教和政治组织相同,原为帮助人类去好好地生存的方法之一。如在中国古代的迎春仪式,其最初的目的就是要将春天迎接了来,以利五谷和牲畜的生长。当时是以为若没有这种仪式,则冬天怕将永住不去,而春天也怕永不再来了。在明末刘侗所著《帝京景物略》内,我们可找到对这种仪式很详细的说明,大体是在立春之前一日,扎些春牛芒神之类,去将春神迎接了来。在希腊也如此。时候也是在冬春之交,在迎春的一天,有人化装为春之神,另外有五十个扮演侍从的人。春之神代表善人,先被恶神所害,造成一段悲剧,后又复活过来,这是用以代表春去而又复来的意思。当时扮演春神的人都要身被羊皮,其用意大概在表示易于生长。英文中之Tragedy(悲剧)原为希腊文中之Tragoidia,其意义即为羊歌,后来便以此字专作悲剧解了。

在化装迎春的这一天,有很多很多的国民都去参加,其参加的用意,在最初并不是为看热闹,而是作为举行这仪式的一份子而去的。其后一般国民的文化程度渐高,知道无论迎春与否，春天总是每年都要来的。于是，仪式虽还照旧举行，而参加者的态度却有了变更，不再是去参加仪式，而是作为旁观者去看热闹了。这时候所演的戏剧不只一出，迎春成为最后一幕，主脚也逐渐加多，侍从者从此也变为后场了。更后来将末出取消，单剩前面的几出悲剧，从此，戏剧便从宗教仪式里脱化出来了。

文学和宗教两者的性质不同，是在于其有无"目的"：宗教仪式都是有目的的，而文学则没有。譬如在夏季将要下雨的时候，我们时常因天气的闷热而感到烦躁，常是禁不住地喊道："啊，快下雨吧！"这样是艺术的态度。道士们求雨则有种种仪式，如以击鼓表示打雷，挥黑旗表示刮风，洒水表示下雨等等。他们是想用这种种仪式以促使雨的下降为目的的。《诗序》上说：

> 情动于中而形于言，言之不足，故嗟叹之；嗟叹之不足，故咏歌之；咏歌之不足，不知手之舞之，足之蹈之也。

我的意见，说来是无异于这几句话的。文学只有感情没有目的。若必谓为是有目的的，那么也单是以"说出"为目的。正如我们在冬时候谈天，常说道："今天真冷！"说这话的用意，当然并不是想向对方借钱去做衣裳，而只是很单纯地说出自己的感觉罢了。

我们当作文学看的书籍，宗教家常要用作劝善的工具。我们读《关雎》一诗。只以为是一首新婚时的好诗罢了，在乡下的塾师却以为有天经地义似的道理在内。又如赞美歌在我们桌上是文学，信徒在教堂中念却是宗教了。这些，都是文学和宗教的差异之点，设使没有这差异，当然也就不会分而为二了。

以后，我便想以此点作为根据，应用这种观点以说明中国新文学运动的情形和意义，它的前因和它的后果。

六、文学的用处

从前面我所说的许多话中，大家当可看得出：文学是无用的东西。因为我们所说的文学，只是以达出作者的思想感情为满足的，此外再无目的之可言。里面，没有多大鼓动的力量，也没有教训，只能令人聊以快意。不过，即这使人聊以快意一点，也可以算作一种用处的：它能使作者胸怀中的不平因写出而得以平息；读者虽得不到什么教训，却也不是没有益处。

关于读者所能得到的益处，可以这样地加以说明——但这也是希腊的亚力士多德很早就在他的《诗学》内主张过的，便是一种被除作用。

从前的人们都以《水浒》为诲盗的小说，在我们看来正相反，它不但不诲盗，且还能减少社会上很多的危险。每一个被侮辱和被损害者，都想复仇，但等他看过《水浒》之后，便感到痛快，仿佛气已出过，仿佛我们所气恨的人已被梁山泊的英雄打死，因而自己的气愤也就跟着消灭了。《红楼梦》对读者也能发生同等的作用。

一位现还在世的英国思想家，他以为文学是一种精神上的体操。当我们用功的时候，长时间不作筋肉的活动，则筋肉疲倦，必须再去作些运动，将多余的力量用掉，然后才觉得舒服。文学的作用也是如此。在未开化或半开化的社会里，人们的气愤容易发泄。在文明社会中，则处处设有警察维持秩序，要起诉则又常因法律证据不足而不能，但此种在社会上发泄不出的愤懑，终须有一地方去发泄，在前，各国每年都有一天特许骂人，凡平常所不敢骂的人，在那天也可向之大骂。骂过之后，则愤气自平。现在这种习俗已经没有，但文学的作用却与此相同。这样说则真正文学作品没有不于人有益的，在积极方面没有用处的，在消极方面却有用处。几年前有一位潘君在《幻洲》内曾骂过一般作文章的青年，他的意见是：青年应当将力量蕴蓄起来，等到做起事情来时再使之爆发，若先已藉文学将牢骚发泄出去，则心中已经没有气愤，以后如何作得事情。这种说法，在他虽是另有立场，而意见却不错。

有人以为文学还另有积极的用处，因为，若单如上面所说，只有消极的作用，则文学实为不必要的东西。我说：欲使文学有用也可以，但那样已是变相的文学了。椅子原是作为座位用的，墨盒原是为写字用的，然而，以前的议员们岂不是曾在打架时作为武器用过么？在打架的时候，椅子墨盒可以打人，然而打人却终非椅子和墨盒的真正用处。文学亦然。

文学，仿佛只有在社会上失败的弱者才需要，在际遇好，没有不满足的人们，他们任何时任何事既都能随心所欲，文学自然没有必要。而在一般的弱者，在他们的心中感到苦闷，或遇到了人力无能为的生死问题时，则多半用文学把这时的感触发挥出去。凡在另有积极方法可施，还不至于没有办法或不可能时，如政治上的腐败等，当然可去实际地参加政治改革运动。而不必借文学发牢骚了。

第二讲　中国文学的变迁

　　两种潮流的起伏

　　历代文学的变迁

　　明末的新文学运动

　　公安派及其文学主张

　　竟陵派

　　公安竟陵两派的结合

上次讲到文学最先是混在宗教之内的,后来因为性质不同分化了出来。分出之后,在文学的领域内马上又有了两种不同的潮流:

（甲）诗言志——言志派

（乙）文以载道——载道派

言志之外所以又生出载道派的原因,是因为文学刚从宗教脱出之后,原来的势力尚有一部分保存在文学之内,有些人以为单是言志未免太无聊,于是便主张以文学为工具。再藉这工具将另外的更重要的东西——"道",表现出来。

这两种潮流的起伏,便造成了中国的文学史。我们以这样的观点去看中国的新文学运动,自然也比较容易看得清楚。

中国的文学,在过去所走的并不是一条直路,而是像一道弯曲的河流,从甲处流到乙处,又从乙处流到甲处。遇到一次抵抗,其方向即起一次转变。略如下图:

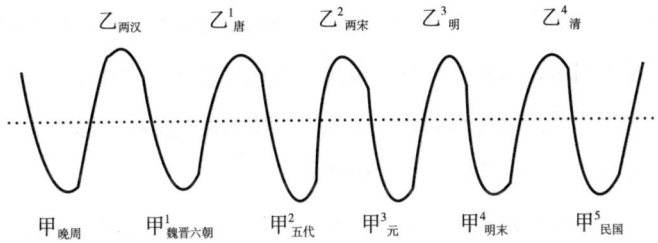

图中的虚线是表示文学上的一直的方向的,但这只是可以空想得出来,而实际上并没有的。

民国以后的新文学运动,有人以为是一件破天荒的事情,胡适之先生在他所著的《白话文学史》中,他以为白话文学是文学唯一的目的地,以前的文学也是朝着这个方向走,只因为障碍物太多,直到现在才得走入正轨,而从今以后一定就要这样走下去。这意见我是不大赞同的。照我看来,中国文学始终是两种互相反对的力量起伏着,过去如此,将来也总如此。

要说明这次的新文学运动,必须先看看以前的文学是什么样。现在我想从明末的新文学运动说起,看看那时候是什么情形,中间怎样经过了清代的反动,又怎样对这反动起了反动而产生了最近这次的文学革命运动。更前的在这里只能略一提及,希望大家自己去研究,得以引申或订正我的粗浅的概说。

晚周,由春秋以至战国时代,正是大纷乱的时候,国家不统一,没有强有力的政府,社会上更无道德标准可言,到处只是乱闹乱杀,因此,文学上也没有统制的力量去拘束它,人人都得自由讲自己愿讲的话,各派思想都能自由发展。这样便造成算是最先的一次诗言志的潮流。

文学方面的兴衰,总和政治情形的好坏相反背着的。西汉时候的政治,在中国历史上总算是比较好些的,然而自董仲舒而后,思想定于一尊,儒家的思想统治了整个的思想界,于是文学也走入了载道的路子。这时候所产生的作品,很少作得好的,除了司马迁等少数人外,几乎所有的文章全不及晚周,也不及这时期以后的魏晋。

魏时三国鼎立,晋代也只有很少年岁的统一局面,因而这时候的文学，又重新得到解放，所出的书籍都比较有趣一些。而在汉朝已起头的骈体文，到这时期也更加发达起来。更有趣的是这时候尚清谈的特别风气。后来有很多人以为清谈是晋朝的亡国之因，近来胡适之，顾颉刚诸先生已不以为然，我们也觉得政局的糟糕绝不能归咎于这样的事情。他们在当时清谈些什么，我们虽不能知道，但想来是一定很有趣味的事。《世说新语》是可以代表这时候的时代精神的一部书。另外还有很多的好文章，如六朝时的《洛阳伽蓝记》，《水经注》，《颜氏家训》等书内都有。《颜氏家训》本不是文学书，其中的文章却写得很好，尤其是颜之推的思想，其明达不但为两汉人所不及，即使他生在现代，也绝不算落伍人物。对各方面他都具有很真切的了解，没一点固执之处。《水经注》是讲地理的书，而里边的文章也特别好。其他如《六朝文絜》内所有的文章，平心静气地讲，的确都是很好的，即使叫现代的文人写，怕也很难写得那样好。

唐朝，和两汉一样，社会上较统一，文学随又走上载道的路子，因而便没有多少好的作品。这时代的文人，我们可以很武断地拿韩愈作代表。虽然韩愈号称文起八代之衰，六朝的骈文体也的确被他打倒了，但他的文章，即使是最有名的《盘谷序》，据我们看来，实在作得不好。仅有的几篇好些的，是在他忘记了载道的时候偶尔写出的,当然不是他的代表作品。自从韩愈好在文章里面讲道统而后,讲道统的风气遂成为载道派永远去不掉的老毛病。文以载道的口号,虽则是到宋人才提出的,但他只是承接着韩愈的系统而已。

诗是唐朝新起的东西,诗的体裁也在唐时加多起来,如七言诗,绝句,律诗等都是。但这只是由于当时考诗的缘故。因考诗所以作诗的加多,作品多了自然就有很多的好诗。然而这情形终于和六朝时候的创作情形是不相同的。

唐以后,五代至宋初,通是走着诗言志的道路。词,虽是和乐府的关系很大,但总是这时期新兴的一种东西。在宋初好像还很大胆地走着这条言志的路,到了政局稳定之后,大的潮流便又转入于载道方面。陆放翁,黄山谷,苏东坡诸人对这潮流也不能抵抗,他们所写下的,凡是我们所认为有文学价值的,通是他们暗地里随便一写认为好玩的东西。苏东坡总算是宋朝的大作家,胡适之先生很称许他,明末的公安派对他也捧得特别厉害,但我觉得他绝不是文学运动方面的人物,他的有名,在当时只是因为他反对王安石,因为他在政治方面的反动。(我们看来,王安石的文章和政见,是比较好的,反王派的政治思想实在无可取。)他的作品中的一大部分,都是摹拟古人的。如《三苏策论》里面的文章,大抵都是学韩愈,学古文的。只因他聪明过人，所以学得来还好。另外的一小部分，不是正经文章，只是他随便一写的东西，如书信题跋之类，在他本认为不甚重要，不是想要传留给后人的，因而写的时候，态度便很自然，而他所有的好文章，就全在这一部分里面。从这里可以见出他仍是属于韩愈的系统之下，是载道派的人物。

清末有一位汪琅批评扬雄，他说扬雄的文章专门摹仿古人，写得都不好。好的，只有《酒箴》一篇。那是因为他写的时候随随便便，没想让它传后之故。这话的确不错。写文章时不摆架子，当可写得十分自然。好像一般官僚，在外边总是摆着官僚架子，在家里则有时讲笑话，自然也就是很真诚了。所以，宋朝也有好文章，却都是在作者忘记摆架子的时候所写的。

元朝有新兴的曲，文学又从旧圈套里解脱了出来。到明朝的前后七子，认为元代以至明初时候的文学没有价值，于是要来复古：不读唐代以后的书籍，不学杜甫以后的诗，作文更必须学周秦诸子。他们的时代是十六世纪的前半。前七子是在弘治年间，为李梦阳何景明等人，后七子在嘉靖年间，为李攀龙王世贞等人。他们所生时代虽有先后，其主张复古却是完全一样的。

对于这复古的风气，揭了反叛的旗帜的，是公安派和竟陵派。公安派的主要人物是三袁,即袁宗道,袁宏道,袁中道三人,他们是万历朝的人物,约当西历十六世纪之末至十七世纪之初。因为他们是湖北公安县人,所以有了公安派的名称。他们的主张很简单,可以说和胡适之先生的主张差不多。所不同的,那时是十六世纪,利玛窦还没有来中国,所以缺乏西洋思想。假如从现代胡适之先生的主张里面减去他所受到的西洋的影响,科学,哲学,文学以及思想各方面的,那便是公安派的思想和主张了。而他们对于中国文学变迁的看法,较诸现代谈文学的人或者还更要清楚一点。理论和文章都很对很好,可惜他们的运气不好,到清朝他们的著作便都成为禁书了,他们的运动也给乾嘉学者所打倒了。

"独抒性灵,不拘格套",这是公安派的主张。在袁中郎(宏道)《叙小修诗》内,他说道:

……其间有佳处,亦有疵处。佳处自不必言,即疵亦多本色独造语。然予则极喜其疵处,而所谓佳者,尚不能不以粉饰蹈袭为恨,以为未能尽脱近代文人习气故也。盖诗文至近代而卑极矣。文则必欲准于秦汉,诗则必欲准于盛唐。剿袭模拟,影响步趋。见人有一语不相肖者,则共指以为野狐外道。曾不知文准秦汉矣,秦汉人曷尝字字准六经欤。诗准盛唐矣,盛唐人曷尝字字学汉魏欤。秦汉而学六经,岂复有秦汉之文?盛唐而学汉魏,岂复有盛唐之诗?惟夫代有升降而法不相沿,各极其变,各穷其趣,所以可贵,原不可以优劣论也。

且夫天下之物,孤行则必不可无,必不可无虽欲废焉而不能。雷同则可以不有,可以不有则虽欲存焉而不能。……

这些话,说得都很得要领,也很像近代人所讲的话。

在中郎为江进之的《雪涛阁集》所作序文内,说明了他对于文学变迁的见解:

……夫古有古之时,今有今之时,袭古人语言之迹而冒以为古,是处严冬而袭夏之葛者也。骚之不袭雅也,雅之体穷于怨,不骚不足以寄也。后人有拟而为之者,终不肖也,何也?彼直求骚于骚之中也。至苏李述别,十九等篇,骚之音节体制皆变矣,然不谓之真骚不可也。……

后面,他讲到文章的"法"——即现在之所谓"主义"或"体裁":

> 夫法因于敝而成于过者也：矫六朝骈丽钉饾之习者以流丽胜，钉饾者固流丽之因也，然其过在于轻纤，盛唐诸人以阔大矫之；已阔矣又因阔而生莽，是故续盛唐者，以情实矫之；已实矣，又因实而生俚，是故续中唐者以奇僻矫之。然奇则其境必狭，而僻则其务为不以根相胜。故诗之道至晚唐而益小。有宋欧苏辈出，大变晚习，于物无所不收，于法无所不有，于情无所不畅，于境无所不取。滔滔莽莽，有若江河。今之人徒见宋之不法唐，而不知宋因唐而有法者也。

对于文学史这样看法，较诸说"中国文学在过去所走的全非正路，只有现在所走的道路才对"要高明得多。

批评江进之的诗，他用了"信腕信口，皆成律度"八个字。这八个字可说是诗言志派一向的主张，直到现在，还没有比这八个字说得更中肯的，就连胡适之先生的八不主义也不及这八个字说得更得要领。

因为他们是反对前后七子的复古运动的，所以他们极力地反对摹仿。在刚才所引中郎的《雪涛阁集》序内，有着这样的话：

至以剿袭为复古，句比字拟，务为牵合，弃目前之景，撼腐滥之辞，有才者绌于法而不敢自伸其才，无才者拾一二浮泛之语，帮凑成诗。智者牵于习而愚者乐其易。一倡亿和，优人驺从，共谈雅道。吁，诗至此亦可羞哉！

我们不能拿现在的眼光，批评他的"优人驺从，并谈雅道"为有封建意味，那是时代使然的。他的反对摹仿古人的见解实在很正确。摹仿可不用思想，因而他所说的这种流弊乃是当然的，近来各学校考试，每每是以"董仲舒的思想"或"扬雄的思想"等作为国文题目，这也容易发生如袁中郎所说的这种毛病，使得能作文章的作来不得要领，不能作的更感到无处下笔。外国大学的入学试题，多半是"旅行的快乐"一类，而不是"关于莎士比亚的戏曲"一类的，中国，也应改变一下，照我想，如能以太阳或杨柳等作为作文题目，当比较合适一些，因为文学的造诣较深的人，可能作得出好文章来。

伯修（宗道）的见解较中郎稍差一些。在他的《白苏斋集》的《论文》中，他也提出了反对学古人的意见：

今之圆领方袍，所以学古人之缀叶蔽皮也。今之五味煎熬，所以学古人之茹毛饮血也。何也？古人之意期于饱口腹蔽形体，今人之意亦期于饱口腹蔽形体，未尝异也。彼摘古人字句入己著作者，是无异缀叶于衣袂之中，投毛血于穀核之内也。大抵古人之文专期于达，而今人之文专期于不达。以不达学达，是可谓学古者乎？（《论文》上）

……有一派学问则酿出一种意见，有一种意见，则创出一般言语。言语无意见则虚浮，虚浮则雷同矣。故大喜者必绝倒，大哀者必号痛，大怒者必叫吼动地，发上指冠。惟戏场中人，心中本无可喜而欲强笑，亦无可哀而欲强哭，其势不得不假借模拟耳。今之文士，浮浮泛泛，原不曾的然做一项学问。叩其胸中亦茫然不曾具一丝意见，徒见古人有立言不朽之说，有能诗能文之名，亦欲搦管伸纸，入此行市，连篇累牍，图人称扬。夫以茫昧之胸而妄意鸿巨之裁，自非行乞左马之侧，募缘残溺，盗窃遗矢，安能写满卷帙乎？试将诸公一编，抹去古语陈句，几不免曳白矣。

……然其病源则不在模拟，而在无识。若使胸中的有所见，苞塞于中，将墨不暇研，笔不暇挥，兔起鹘落，犹恐或逸，况有闲力暇晷引用古人词句耶？故学者诚能从学生理，从理生文，虽驱之使模不可得矣。（《论文》下）

这虽然一半讲笑话，一半挖苦人，其意见却很可取。

从这些文章里面，公安派对文学的主张，已可概见。对他们自己所作的文章，我们也可作一句总括的批评，便是："清新流丽"。他们的诗也都巧妙而易懂。他们不在文章里面摆架子，不讲治国平天下的大道理，只要看过前后七子的假古董，就可很容易看出他们的好处来。

不过，公安派后来的流弊也就因此而生，所作的文章都过于空疏浮滑，清楚而不深厚。好像一个水池，污浊了当然不行，但如清得一眼能看到池底，水草和鱼类一齐可以看清，也觉得没有意思。而公安派后来的毛病即在此。于是竟陵派又起而加以补救。竟陵派的主要人物是钟惺、谭元春，他们的文章很怪，里边有很多奇僻的词句，但其奇僻绝不是在摹仿左马，而只是任着他们自己的意思乱作的，其中有许多很好玩，有些则很难看得懂。另外的人物是倪元璐、刘侗诸人，倪的文章现在较不易看到，刘侗和于奕正合作的《帝京景物略》在现在可算是竟陵派唯一的代表作品，从中可看出竟陵派文学的特别处。

后来公安竟陵两派文学融合起来，产生了清初张岱（宗子）诸人的作品，其中如《琅嬛文集》等，都非常奇妙。《琅嬛文集》现在不易买到，可买到的有《西湖梦寻》和《陶庵梦忆》两书，里边通有些很好的文章。这也可以说是两派结合后的大成绩。

那一次的文学运动，和民国以来的这次文学革命运动，很有些相像的地方。两次的主张和趋势，几乎都很相同。更奇怪的是，有许多作品也都很相似。胡适之，冰心，和徐志摩的作品，很像公安派的，清新透明而味道不甚深厚。好像一个水晶球样，虽是晶莹好看，但仔细地看多时就觉得没有多少意思了。和竟陵派相似的是俞平伯和废名两人，他们的作品有时很难懂，而这难懂却正是他们的好处。同样用白话写文章，他们所写出来的，却另是一样，不像透明的水晶球，要看懂必须费些功夫才行。然而更奇怪的是俞平伯和废名并不读竟陵派的书籍，他们的相似完全是无意中的巧合。从此，也更可见出明末和现今两次文学运动的趋向是相同的了。

第三讲　清代文学的反动（上）——八股文

　　清代文学总览

　　八股文的来源

　　八股文的作法及各种限制

　　试帖诗和诗钟

　　八股文所激起的反动

　　以袁中郎作为代表的公安派，其在文学上的势力，直继续至清朝的康熙时代。集公安竟陵两派之大成的，上次已经说过，是张岱，张岱便是明末清初的人。另外还有金圣叹（喟），李笠翁（渔），郑燮，金农，袁枚诸人。金圣叹的思想很好，他的文学批评很有新的意见，这在他所批点的《西厢》《水浒》等书上全可看得出来。他留下来的文章并不多，但从他所作的两篇《水浒传》的序文中，也可以看得出他的主张来的，他能将《水浒》《西厢》和《左传》《史记》同样当作文学书看，不将前者认为诲淫诲盗的东西，这在当时实在是一件很不容易的事。李笠翁所著有《笠翁一家言》，其中对于文学的见解和人生的见解也都很好。他们都是康熙时代的人。其后便成了强弩之末，到袁枚时候，这运动便结束了。

大约从一七〇〇年起始，到一九〇〇年止，在这期间文学的方向和以前又恰恰相反，但民国以来的文学运动，却又是这反动力量所激起的反动。我们可以这样说：明末的文学，是现在这次文学运动的来源，而清朝的文学，则是这次文学运动的原因。不看清楚清代的文学情形，则新文学运动所以起来的原因也将弄不清楚，要说明也便没有依据。我常提议各校国文系的学生，应该研究八股文，也曾作过一篇《论八股文》（见本书附录），说明为什么应该研究它。这项提议，看来似乎是在讲笑话，而其实倒是正经话，是因为八股文和现代文学有着很大的关系之故。

清代的文艺学问情形，在梁任公先生的《清代学术概论》中说得很详尽了。我们不必多说。但今为便利计，姑归纳为下列几种：

一、宋学（也可称哲学或玄学）

二、汉学（包括语言学和历史）

三、文学

（1）明末文学的余波（至袁枚为止）

（2）骈文（文选派）

（3）散文（古文，以桐城派为代表）

四、制艺（八股）

在清代，每个从事于学问的人，总得在这些当中选择一两种去研究。但无论研究那一种，八股文是人人所必须学的。清代的宋学无可取，汉学和文学没多大关系，文学里明末文学运动的余波已逐渐衰微下去，而这时期的骈体文也只是剿拟模仿，更不能形成一种力量。余下的便只有散文和八股了。

关于八股文的各方面，我们所知道的很少，怕不能扼要地讲得出来。可供参考的书籍也很少，能找到的只有梁章钜的《制艺丛话》，在里边可以找到许多好的材料，此外更无第二部。刘熙载的《艺概》末卷也是讲制艺的，只是所讲全是些空洞的话，并没有具体的例证。但我们对八股文如不晓得是怎么一回事，则对旧文学里面的好些地方全都难以明了。于此，也只得略加说明：

所谓制艺，是指自宋以来考试的文章而言。在唐时考试用诗；宋时改为经义，即从四书或五经内出一题目，由考的人作一段文章，其形式全与散文相同；到明代便有了定型：文章的

起首是破题,其次是承题,其次是起讲,后面共有八股,每两股作为一段,此平彼仄,两两相对,成为这样的形式:

$$\begin{cases} 甲 \quad 乙 \quad 丙 \quad 丁 \\ 甲'\ 乙'\ 丙'\ 丁' \end{cases}$$

下面再有一段作为结尾。这便是所谓八股文。到明末清初的时期,更加多了许多限制,不但有一定的形式,且须有一定的格调。这样,越来便越麻烦了。

现在将清代各种文学,就其在形式和内容两方面的差别,另画作这样的一张表:

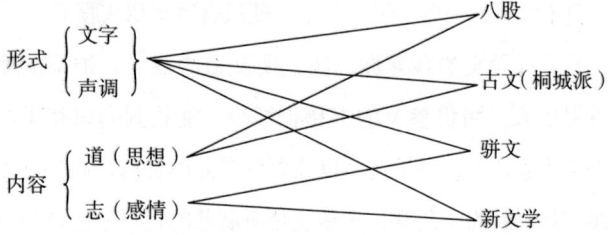

这里边,八股文是以形式为主,而以发挥圣贤之道为内容的。桐城派的古文是以形式和思想平重的。骈文的出发点为感情,而也是稍偏于形式方面。以感情和形式平重的,则是这时期以后的新文学,就中,八股文和桐城派的古文很相近,早有人说过,桐城派是以散文作八股的。骈文和新文学,同以感情为出发点,所以二者也很相近,其不同处是骈文太趋重于形式方面。后来反对桐城派和八股文，可走的路径，从这表上也可以看得出来，不走向骈文的路便走向新文学的路。而骈文在清代的势力，如前面所说，本极微弱，于是便只有走向新文学这方面了。

为什么会有八股文这东西起来呢？据我想这与汉字是有特别关系的。汉字在世界上算是最特别的一种，它有平仄而且有偏旁。于是便可以找些合适的字使之两两互对起来。例如"红花"可用"绿叶"作对，若用"黄叶"或"青枝"等去对，即使小学生也知其不合适，因为"红花"和"绿叶"，不但所代表的颜色和物件正好相对，字的平仄也是正对的，而且红绿二字还都带有"系"旁，其它的"青枝""黄叶"等便不足这些条件了。

从前有人路过一家养马的门口，见所贴门联的一幅是"左手牵来千里马"，觉得非常好，但及至看到下幅，则是"右手牵来千里驹"，又觉得很不好了。这在卖马的人只是表示他心中的愿望，然而看门联的人则以为应当对得很精巧才成，仿佛"千"定要对"万"或"手"定要对"足"才是。

这样子，由对字而到门联，由门联而到挽联，而到很长的挽联，便和八股文很接近了。

中国打"灯谜"的事也是世界各国所没有的，在中国各地方各界都很普遍。譬如"人人尽道看花回",打四书一句:"言游过矣",又如"传语报平安"打"言不必信"等等,意思尽管是牵强附会,但倒转过来,再变化得较高级一些,便成为八股中破题的把戏,因此,我觉得八股文之所以造成,大部分是由于民间的风气使然,并不是专因为某个皇帝特别提倡八股的缘故。

关于破题有很多笑话,但虽是笑话,其作法却和正经的破题完全相同。据说有人作文章很快,于是别人出题目要他作,而只准他以四个字作为破题。题目是"君命召不俟驾行矣",他的破题是"君请,度(踱)之"。又如有人以很通俗的话作破题解释"三十而立"说:"两当十五之年,虽有椅子板凳而不敢坐也。"另外要举一正经的例子:题目是"子曰",有人破题是"匹夫而为百世师,一言而为天下法"。这是明代人所作的,那时候这样的破题还可以,到清代则破题的结尾一定要用一虚字才行。

从这些例子看来,便很可以明白,低级的灯谜,和高级的破题,原是同一种道理生出来的。

"破题"之后是"承题",承题的起首必须得用一"夫"字,例如,要接着前面所举"三十而立"的破题作下去,其承题的起首一定是"夫椅子板凳所以坐者也……"一类的话头。

总之，作文章的人，处处都受有限制，必须得模仿当时圣贤说话的意思，又必须遵守形式方面的种种条规。作一篇文章消磨很多的时间，却毫没价值。

然而前面所举的还都是些普通的题目，还较为简单易作，其更难的是所谓"截搭题"，即由四书上相邻的两章或两句中，各截取一小部分，使合而为一个题目。例如从"三十而立，四十而不惑"两句中，可截取"而立四十"作题。这种题目有很多凑得非常奇怪的，如"活昏"，本是"民非水火不生活"的末一字和"昏夜叩人之门户"的首一字，毫无关系，然而竟凑为一个题目。遇到此类题目，必须用一种所谓"渡法"，将上半截的意思渡到下半截去。在《制艺丛话》中，有一个很巧妙的例子，题目是"以杖叩其胫阙党童子"，这是《原壤夷俟》章的末句和《阙党童子将命》章的前半句，意思当然不相连接，然而有人渡得很妙：

> 一杖而原壤痛，再杖而原壤哭，三杖而原壤死矣，一阵清风而原壤化为阙党童子矣。

作八股文不许连上，不许犯下，不许骂题漏题，这篇文章全没违犯这些规则，而又将题中不相干的两种意思能渡在一起，所以算最好。

八股文中的声调也是一件很主要的成分。这大概是和中国的戏剧有关系的事。中国的歌曲早已失传，或者现在一般妓女所唱的小曲还有些仿佛吧，然而在民间已不通行。大多数国民的娱乐，只是在于戏剧方面。现在各学校游艺会欢迎会之类，在余兴一项内也大半是唱些旧剧，老百姓在种地的时候，或走路害怕的时候，也都好唱几句皮簧之类，由此可见一般人对于戏剧的注意点是在于剧词的腔调方面。当我初到北京时那时是光绪三十年（1904）顷，在戏院里见有许多当时的王公们，都脸朝侧面而不朝戏台，后来才知道这是因为他们所注意的只是唱者的音调如何，而不在于他们的表演怎样。西皮二簧甚至昆曲的词句，大半都作得不好，不通顺，然而他们是不管那些的，正如我们听西洋戏片，多半是只管音调而不管意思的。这在八股文内，也造成了同样的情形，只要调子好，规矩不错，有时一点意思也没有，都可以的。从下面的两股文章内，便可看出这种毛病来：

> 天地乃宇宙之乾坤，吾心实中怀之在抱，久矣夫千百年来已非一日矣，溯往事以追维，曷勿考记载而诵诗书之典要。

元后即帝王之天子,苍生乃百姓之黎元,庶矣哉亿兆民中已非一人矣,思入时而用世,曷勿瞻黻座而登廊庙之朝廷。

这是八股中的两中股,在这两股中,各句子里起首和煞尾的字,其平仄都很对,所以,其中的意思虽是使人莫名其妙,文章虽是不通,只因调子好,就可算为很好的"中式"文字。

上面所举的各种例子,游戏的地方太多,也许八股文中所有的特别的地方还看不清楚,于此,再举一个正经的例子:

《父母惟其疾之忧》(章日价)

罔极之深思未报,而又徒留不肖之肢体,贻父母以半生莫殚之愁。

百年之岁月几何,而忍吾亲以有限之精神,更消磨于生我劬劳之后。

这是八股中的后两股,其声调和句子,作得都很好,文字虽也平常,对题中的意思却发挥得很透澈,所以这算是八股中之最上等的。作不好的即成为前面所举"天地乃宇宙之乾坤"一类的。

我以前在《论八股文》中也曾举过一个例,凡是从前考试落第的人,只须再用功多读,将调子不同的文章,读上一百来篇,好像我们读乐谱样,读到烂熟,再考时自然就可按照合适的调子,将文章填入,自然也就可以成功了。鲁迅在《朝花夕拾》内说到三味书屋里教书的老先生读文时摇头摆脑的神情,是事实,而且很有道理在里边的,假使单是读而不摇头,则文字中的音乐分子便有时领略不出来,等自己作时,则音调便很难捉摸得好了。

和八股文相连的有试帖诗。唐代的律诗本只八句,共四韵,后加多为六韵,更后成为八韵。在清朝,考试的人都用作八股文的方法去作诗,于是律诗完全八股化而成为所谓"试帖"。在徐宝善的《壶园试帖》里面,有一首题目为《王猛扪虱》,我们可从中抄出几句作例:

> 建业蜂屯扰,成都蚁战酣,
> 中原披褐顾,馀子处裈惭,
> 汤沐奚烦具,爬搔尽许探,
> 搜将蚖蚤细,劚向齿牙甘,

这首诗,因为题目好玩,作者有才能,所以能将王猛的精神，王猛的身分，和那时代的一般情形，都写在里面，而且风趣也很好。不过这也只是一种细工而已，算不得真正文学。

这种诗的作法，是和作诗钟的方法有很大的关系的。诗钟是每两句单独作，譬如清朝道光时代的一位文人秦云，曾用"蜡，芥"为题，作过这样的两句：

嚼来世事真无味，
拾得功名尽有人。

这看来好像很感慨，但这感慨并不是诗人自己的牢骚，而是从题目里面生出来的。诗钟作到这样，算是比较成功的了，但和真文学相去则很远。而所谓试帖诗，从前面的例上可以看出，就是应用这样的方法作成的。即八股文的作法，也和这作诗钟的方法很有关系。

总括起来，八股文和试帖诗都一样，其来源一为朝廷的考试，一为汉字的形状特别，而另一则为中国的戏剧。其时代可以说自宋朝即已开始，无非到清朝才集其大成罢了。

言志派的文学，可以换一名称，叫做"即兴的文学"，载道派的文学，也可以换一名称，叫做"赋得的文学"，古今来有名的文学作品，通是即兴文学。例如《诗经》上没有题目,《庄子》也原无篇名,他们都是先有意思,想到就写下来,写好后再从文字里将题目抽出。"赋得的文学"是先有题目然后再按题作文。自己想出的题目,作时还比较容易,考试所出的题目便有很多的限制,自己的意见不能说,必须揣摩题目中的意思,如题目是孔子的话,则跟着题目发挥些圣贤道理,如题目为阳货的话,则又非跟着题目骂孔子不可。正如刘熙载所说的,"未作破题,文章由我,既生破题,我由文章。"只要遵照各种规矩,写得精密巧妙,即成为"中式"的文章。其意义之有无,倒可不管。我们现在作文章有如走路,在前作八股文则如走索子。走路时可以随便,而走索子则非按照先生所教的方法不可,否则定要摔下来。不但规矩,八股文的字数也都有一定,在顺治初年,定为四百五十字算满篇,康熙时改为五百五十,后又改为六百。字数在三百以内不及格,若多至六七百以上也同样不及格。总之这种有定制的文章,使得作者完全失去其自由,妨碍了真正文学的产生,也给了中国社会许多很坏的影响,至今还不能完全去掉。正如吴稚晖所说,土八股虽然没有了,接着又有了洋八股,现在则有了党八股。譬如现在要考什么,与考的人不必有专门研究,不懂题也可以按照题目的意思敷衍成一段文章,使之有头尾,这便是八股文的方法。

规则那样麻烦,流弊那样多,其引起反对乃是当然的。而且不仅在清末,在其先已经就有起而反对的人了。最先是傅青主(山)和徐灵胎(大椿)二人,他们都是有名的医生,都曾作过骂八股的文字。在徐灵胎的《洄溪道情》里面,有一首曲子叫《时文叹》,其词是:

> 读书人,最不济。烂时文,烂如泥。国家本为求才计,谁知道变作了欺人计。三句承题,两句破题,摆尾摇头,便是圣门高弟,可知道三通四史是何等文章,汉祖唐宗是哪朝皇帝?案头放高头讲章,店里买新科利器。读得来肩背高低,口角嘘唏。甘蔗渣儿嚼了又嚼,有何滋味?辜负光阴,白白昏迷一世。就教他骗得高官,也是百姓朝廷的晦气。

当然这是算不得文学的,但他却代表了当时一部分人的意见,所以也算是一篇与文学史有关系的东西。

清代自洪杨乱后,反对八股文的势力即在发动。到清末,凡是思想清楚些的,都感觉到这个问题。当时,政治方面的人物,都受维新思想的传染,以为八股文太没用处。研究学问的人则以为八股文太空疏。因而一般以八股文出身的人们,也都起而反对了。力量最大关系最多的，是康有为梁任公诸人。不过那时候所作到的只是在政治方面的成功，只使得考试时不再用八股而用策论罢了。而在社会上的思想方面，文学方面，都还没有多大的改变，直到陈独秀胡适之等人正式地提出了文学革命的口号，而文学运动上才又发生了一支生力军。

现下文学界的人们，很少曾经作过八股文的，因而对于八股文的整个东西，都不甚了然。现在只能将它和新文学运动有关系的地方略略说及，实不容易说得更具体些。整篇的八股文字，如引用起来，太长，太无聊，大家可自己去查查看。以后如有对此感到兴趣的人，可将这东西作一番系统的研究，整理出一个端绪来，则其在中国文学上的价值和关系，自可看得更清楚了。

第四讲　清代文学的反动（下）——桐城派古文

桐城派的统系

桐城派的思想和桐城义法

桐城派的变化

桐城派和新文学运动的关系

死去的公安派精神的苏醒

桐城派所激起的反动

如上次所说，在十八九两世纪的中国，文学方面是八股文与桐城派古文的时代。所以能激动起清末和民国初年的文学革命运动，桐城派古文也和八股文有相等的力量在内。

桐城派的首领是方苞和姚鼐，所以称之为桐城派者，是因他们通是安徽桐城县人。关于桐城派的文献可看《方望溪集》和《姚惜抱集》，该派的重要主张和重要文字，通可在这两部书内找到。此外便当可用的还有一本叫做《桐城文派述评》的小书。吴汝纶和严复的文章也可以一看,因为他们是桐城派结尾的人物,另外也还有些人,但并不重要,现在且可不必去看。

桐城派自己所讲的系统是这样子的:

左传——史记——韩　愈——归有光——方苞

　　　　　　　　柳宗元

　　　　　　　　欧阳修

　　　　　　　　三　苏

　　　　　　　　王安石

　　　　　　　　曾　巩

从此可以看得出,他们还是承接着唐宋八大家的系统下来的:上承左马,而以唐朝的韩愈为主,将明代的归有光加入,再下来就是方苞,不过在他们和唐宋八大家之间,也有很不相同的地方:唐宋八大家虽主张"文以载道",但其着重点,犹在于古文方面,只不过想将所谓"道"这东西放进文章里去作为内容罢了,所以他们还只是文人。桐城派诸人则不仅是文人,而且也兼作了"道学家"。他们以为韩愈的文章总算可以了,然而他在义理方面的造就却不深;程朱的理学总算可以了,然而他们所做的文章却不好。于是想将这两方面的所专合而为一,因而有"学行继程朱之后,文章在韩欧之间"的志愿。他们以为"文即是道",二者并不可分离,这样的主张和八股文是很接近的。而且方苞也就是一位很好的八股文作家。

关于清代学术方面的情形,在前我们曾说到过,大体是成这种形势:

一、宋学(哲学或玄学)

二、汉学 $\begin{cases} 语言 \\ 历史 \end{cases}$

三、文学

(1)明末文学的余波

(2)骈文(文选派)

(3)散文(古文,以桐城派为代表)

四、制艺

按道理说,桐城派是应归属于文学中之古文方面的,而他们自己却不以为如此。照他们的说法,应改为这样的情形:

1. 义理——宋学

2. 考据——汉学

3. 词章 $\begin{cases} 诗词 \\ 骈文 \\ 古文 \end{cases}$ 桐城派

4. 制艺

他们不自认是文学家,而是集义理,考据,词章三方面之大成的。本来自唐宋八大家主张"文以载道"而后,古文和义理便渐渐离不开,而汉学在清代特占势力,所以他们也自以懂得汉学相标榜。实际上方姚对于考据之学却是所知有限得很。

他们主张"学行继程朱之后",并不是处处要和程朱一样,而是以为:只要文章作得好,则"道"也即跟着好起来,这便是学行方面的成功。今人赵震大约也是一位桐城派的文人,在他所编的《方姚文》的序文中,曾将这意思说得很明白,他说:

然则古文之应用何在?曰:"将以为为学之具,蕲至乎知言知道之君子而已。"人之为学,大率因文以见道,而能文与不能文者,其感觉之敏钝,领会之多寡,盖相去悬绝矣。……

另外,曾国藩有一段话也能对这意见加以说明,他在《示直隶学子文》文内,论及怎样研究学问,曾说道:

苟通义理之学,而经济该乎其中矣。……然后求先儒所谓考据者,使吾之所见证诸古制而不谬;然后求所谓词章者，使吾之所获达诸笔札而不差。……

因为曾国藩是一位政治家，觉得单是讲些空洞的道理不够用，所以又添了一种"经济"进去，而主张将四种东西——即义理，考据，词章，经济——打在一起。

从这两段文字中，当可以看得出他们一贯的主张来，即所作为词章，所讲为义理。因此他们便为多方面的人而不只是文学家了。

以上是桐城派在思想方面的主张。

在文词方面，他们还提出了所谓"桐城义法"。所谓义法，在他们虽看得很重，在我们看来却并不是一种深奥不测的东西，只是一种修词学而已。将他们所说的归并起来，大抵可分为以下两条：

第一，文章必须"有关圣道"——方苞说："非阐道翼教，有关人伦风化不苟作。"姚鼐也说过同样的话，以为如"不能发明经义不可轻述"。所以文章必须得"明道义，维风俗"。其实，这也和韩愈等人文以载道的主张一样，并没有更高明的道理在内。

此外他们所提出的几点，如文章要学左史，要以韩欧为法，都很琐碎而没有条理。比较可作代表的是沈廷芳《书方望溪先生传后》中的一段话：

> 南宋元明以来，古文义法不讲久矣。吴越间遗老，尤放恣：或杂小说，或沿翰林旧体，无雅洁者。古文中不可录：语录中语，魏晋六朝人藻丽俳语，汉赋中板重字法，诗歌中隽语，南北史佻巧语。

将其中的意见归纳起来，也可勉强算作他们的义法之一，便是：

第二，文要雅正。

另外还有一种莫名其妙的东西，为现在的桐城派文人也说不明白的，是他们主张文章内要有"神理气味，格律声色"八种东西：

姚鼐《古文辞类纂序目》：

> 凡文之体类十三，而所以为文者八：曰"神理气味，格律声色"。神理气味者文之精也，格律声色者文之粗也。……

"理"是义理，即我们之所谓"道"；"声"是节奏，是文章中的音乐分子；"色"是色采，是文章的美丽。这些，我们还可以懂得。但神，气，味，律等，则意义十分渺茫，使人很难领会得出。林纾的《春觉斋论文》，可说是一本桐城派作文的经验谈，而对于这几种东西，也没有说得清楚。

不管他们的主张如何，他们所作出的东西，也仍是唐宋八大家的古文。并且，越是按照他们的主张作出的，越是作得不好。《方姚文》中所选的一些，是他们自己认为最好，可以算作代表作的，但其好处何在，我们却看不出来。不过，和明代前后七子的假古董相比，我以为桐城派倒有可取处的。至少他们的文章比较那些假古董为通顺，有几篇还带些文学意味。而且平淡简单，含蓄而有余味，在这些地方，桐城派的文章，有时比唐宋八大家的还好。虽是如此，我们对他们的思想和所谓"义法"，却始终是不能赞成，而他们的文章统系也终和八股文最相近。

假如说姚鼐是桐城派定鼎的皇帝，那么曾国藩可说是桐城派中兴的明主。在大体上，虽则曾国藩还是依据着桐城派的纲领，但他又加添了政治经济两类进去，而且对孔孟的观点，对文章的观点，也都较为进步。姚鼐的《古文辞类纂》和曾国藩的《经史百家杂钞》二者有极大的不同之点：姚鼐不以经书作文学看，所以《古文辞类纂》内没有经书上的文字。曾国藩则将经中文字选入《经史百家杂钞》之内，他已将经书当作文学看了。所以，虽则曾国藩不及金圣叹大胆，而因为他较为开通，对文学较多了解，桐城派的思想到他便已改了模样。其后，到吴汝纶，严复，林纾诸人起来，一方面介绍西洋文学，一方面介绍科学思想，于是经曾国藩放大范围后的桐城派，慢慢便与新要兴起的文学接近起来了。后来参加新文学运动的，如胡适之，陈独秀，梁任公诸人，都受过他们的影响很大，所以我们可以说，今次文学运动的开端，实际还是被桐城派中的人物引起来的。

但他们所以跟不上潮流，所以在新文学运动正式作起时，又都退缩回去而变为反动势力者，是因为他们介绍新思想的观念根本错误之故。在严译的《天演论》内，曾有吴汝纶所作的一篇很奇怪的序文，他不看重天演的思想，他以为西洋的赫胥黎未必及得中国的周秦诸子，只因严复用周秦诸子的笔法译出，因文近乎"道"，所以思想也就近乎"道"了。如此，《天演论》是因为译文而才有了价值。这便是当时所谓"老新党"的看法。

林纾译小说的功劳算最大，时间也最早，但其态度也同样的不正确。他译司各特（Scott）狄更司（Dickens）诸人的作品，其理由不是因为他们的小说有价值，而是因为他们的笔法，有些地方和太史公相像，有些地方和韩愈相像，太史公的《史记》，和韩愈的文章既都有价值，所以他们的也都有价值了，这样，他的译述工作，虽则一方面打破了中国人的西洋无学问的旧见，一方面也可打破了桐城派的"古文之体忌小说"的主张，而其根本思想却仍是和新文学不相同的。

他们的基本观念是"载道"，新文学的基本观念是"言志"，二者根本上是立于反对地位的。所以，虽则接近了一次，而终于不能调和。于是，在袁世凯作皇帝时，严复成为筹安会的六君子之一，后来写信给人也很带复辟党人气味；而林纾在民国七八年时，也一变而为反对文学革命运动的主要人物了。

另外和新文学运动有关系的是汉学家。汉学家和新文学本很少发生关系的可能，但他们和明末的文学却有关系。如我们前次所讲，明末的新文学运动一直继续到清代初年。在历史上可以明明白白看出的，是汉学家章实斋在《文史通义》内《妇学》一篇中大骂袁枚，到这时公安竟陵两派的文学便告了结束。然而最奇怪的事情是他们在汉学家的手里死去，后来却又在汉学家的手里复活了过来。在晚清，也是一位汉学家，俞曲园樾先生，他研究汉学也兼弄词章——虽则他这方面的成绩并不好。在他的《春在堂全集》中，有许多游戏小品，《小浮梅闲话》则全是讲小说的文字，这是在同时代的别人的集子中所没有的。他的态度和清初的李笠翁，金圣叹差不多，也是将小说当作文学看。当时有一位白玉昆所作的《三侠五义》，他加以修改，改为《七侠五义》而刻印了出来，这更是一件金圣叹所作的事情。在一篇《曲园戏墨》中，他将许多字作成种种形象，如将"曲园拜上"四字画作一个人跪拜的姿势等，这又大似李笠翁《闲情偶寄》中的风趣了。所以他是以一个汉学家而走向公安派竟陵派的路子的。

从这里我们可以看出，在清代晚年已经有对于八股文和桐城派的反动倾向了。只是那时候的几个人，都是在无意识中做着这件工作。来到民国，胡适之，陈独秀，梁任公诸人，才很明了地意识到这件事而正式提出文学革命的旗帜来。在《北斗》杂志上载有鲁迅一句话："由革命文学到遵命文学"，意思是：以前是谈革命文学，以后怕要成为遵命文学了。这句话说得颇对，我认为凡是载道的文学，都得算作遵命文学，无论其为清代的八股，或桐城派的文章，通是。对这种遵命文学所起的反动，当然是不遵命的革命文学。于是产生了胡适之的所谓"八不主义"，也即是公安派的所谓"独抒性灵，不拘格套"和"信腕信口，皆成律度"的主张的复活。所以，今次的文学运动，和明末的一次，其根本方向是相同的。其差异点无非因为中间隔了几百年的时光,以前公安派的思想是儒家思想、道家思想加外来的佛教思想三者的混合物,而现在的思想则又于此三者之外,更加多一种新近输入的科学思想罢了。

第五讲　文学革命运动

清末政治的变动所给予文学的影响
梁任公和文学改革的关系
白话作品的出现
《新青年》杂志的刊行和文学革命问题的提出
旧势力的恐怖和挣扎
文学革命运动和明末新文学运动根本精神的所以相同
用白话的理由

清末文学方面的情形,就是前两次所讲到的那样子,现在再加一总括的叙述:

第一,八股文在政治方面已被打倒,考试时已经不再作八股文而改作策论了。其在社会方面,影响却依旧很大,甚至,如从前所说,至今还没有完全消失。

第二，在乾隆嘉庆两朝达到全盛时期的汉学，到清末的俞曲园也起了变化，不但弄词章，而且弄小说，而且在《春在堂全集》中的文字，有的像李笠翁，有的像金圣叹，有的像郑板桥和袁子才。于是，被章实斋骂倒的公安派，又得以复活在汉学家的手里。

第三，主张文道混合的桐城派，这时也起了变化，严复出而译述西洋的科学和哲学方面的著作，林纾则译述文学方面。虽则严复的译文被章太炎先生骂为有八股调；林纾译述的动机是在于西洋文学有时和《左传》《史记》中的笔法相合；然而在其思想和态度方面，总已有了不少的改变。

第四，这时候的民间小说，比较低级的东西，也在照旧发达。其作品有《孽海花》等。

受了桐城派的影响，在这变动局面演了一个主要角色的是梁任公。他是一位研究经学而在文章方面是喜欢桐城派的。当时他所主编的刊物，先后有《时务报》，《新民丛报》，《清议报》和《新小说》等等，在那时的影响都很大，不过，他是从政治方面起来的，他所最注意的是政治上的改革，因而他和文学运动的关系也较为异样。

自从甲午年（1894）中国败于日本之后，中间经过了戊戌政变（1898），以至于庚子年的八国联军（1900），这几年间是清代政治上起大变动的开始。梁任公是戊戌政变的主要人物，他从事于政治的改革运动，也注意到思想和文学方面。在《新民丛报》内有很多的文学作品。不过这些作品都不是正路的文学，而是来自偏路的，和林纾所译的小说不同。他是想藉文学的感化力作手段，而达到其改良中国政治和中国社会的目的的。这意见，在他的一篇很有名的文章《论小说与群治之关系》中可以看出。因此他所刊载的小说多是些"政治小说"，如讲匈牙利和希腊的政治改革的小说《经国美谈》等是。《新小说》内所登载的，比较价值大些，但也都是以改良社会为目标的，如科学小说《海底旅行》，政治小说《新罗马传奇》，《新中国未来记》和其他的侦探小说之类。这是他在文学运动以前的工作。

梁任公的文章是融和了唐宋八家，桐城派，和李笠翁，金圣叹为一起，而又从中翻陈出新的。这也可算他的特别工作之一。在我年小时候，也受了他的非常大的影响，读他的《饮冰室文集》《自由书》《中国魂》等，都非常有兴趣。他的文章，如他自己在《清代学术概论》中所讲，是"笔锋常带情感"，因而影响社会的力量更加大。

他曾作过一篇《罗兰夫人传》。在那篇传文中，他将法国革命后欧洲所起的大变化，都归功于罗兰夫人身上。在这篇文

字中,有几句是:

> 罗兰夫人何人也?彼拿破仑之母也,彼梅特涅之母也。彼玛志黎,噶苏士,俾士麦,加富尔之母也。……

因这几句话,竟使后来一位投考的人,在论到拿破仑时颇惊异于拿破仑和梅特涅既属一母所生之兄弟何以又有那样不同的性格。从这段笑话中,也可见得他给予社会上的影响是如何之大了。

就这样,他以改革政治改革社会为目的,而影响所及,也给予文学革命运动以很大的助力。

在这时候,曾有一种白话文字出现,如《白话报》,《白话丛书》等,不过和现在的白话文不同,那不是白话文学,而只是因为想要变法,要使一般国民都认些文字,看看报纸,对国家政治都可明了一点,所以认为用白话写文章可得到较大的效力。因此,我以为那时候的白话和现在的白话文有两点不相同:

第一,现在白话文,是"话怎么说便怎么写"。那时候却是由八股翻白话,有一本《女诫注释》,是那时候的《白话丛书》之一,序文的起头是这样:

> 梅侣做成了《女诫》的注释，请吴芙做序，吴芙就提起笔来写道，从古以来，女人有名气的极多，要算曹大家第一，曹大家是女人当中的孔夫子，《女诫》是女人最要紧念的书。……

又后序云：

> 华留芳女史看完了裘梅侣做的曹大家《女诫》注释，叹一口气说道，唉，我如今想起中国的女子，真没有再比他可怜的了。……

这仍然是古文里的格调，可见那时的白话，是作者用古文想出之后，又翻作白话写出来的。

第二，是态度的不同——现在我们作文的态度是一元的，就是：无论对什么人，作什么事，无论是著书或随便地写一张字条儿，一律都用白话。而以前的态度则是二元的：不是凡文字都用白话写，只是为一般没有学识的平民和工人才写白话的。因为那时候的目的是改造政治，如一切东西都用古文，则一般人对报纸仍看不懂，对政府的命令也仍将不知是怎么一回事，所以只好用白话。但如写正经的文章或著书时，当然还是作古文的，因此我们可以说，在那时候，古文是为"老爷"用的，白话是为"听差"用的。

总之，那时候的白话，是出自政治方面的需求，只是戊戌政变的余波之一，和后来的白话文可说是没有大关系的。

不过那时候的白话作品，也给了我们一种好处：使我们看出了古文之无聊。同样的东西，若用古文写，因其形式可作掩饰，还不易看清它的缺陷，但用白话一写，即显得空空洞洞没有内容了。

这样看来，自甲午战后，不但中国的政治上发生了极大的变动，即在文学方面，也正在时时动摇，处处变化，正好像是上一个时代的结尾，下一个时代的开端。新的时代所以还不能即时产生者，则是如《三国演义》上所说的："万事齐备，只欠东风"。

所谓"东风"在这里却正改作"西风"，即是西洋的科学，哲学，和文学各方面的思想。到民国初年，那些东西都已渐渐输入得很多，于是而文学革命的主张便正式地提出来了。

民国四五年间，有一种《青年杂志》发行出来，编辑者为陈独秀，这杂志的性质是和后来商务印书馆的《学生杂志》差不多。后来，又改名为《新青年》，这时候蔡子民作了北大校长，他请陈独秀作了文科学长，但《新青年》仍由他（陈）编辑，这是民国六年的事。其时胡适之尚在美国，他由美国向《新青年》投稿，便提出了文学革命的意见。但那时的意见还很简单，只是想将文体改变一下，不用文言而用白话，别的再没有高深的道理。当时他们的文章也还都是用文言作的。其后钱玄同刘半农参加进去，"文学运动""白话文学"等等旗帜口号才明显地提了出来。接着又有了胡适之的"八不主义"，也即是复活了明末公安派的"独抒性灵，不拘格套"和"信腕信口，皆成律度"的主张。只不过又加多了西洋的科学哲学各方面的思想，遂使两次运动多少有些不同了，而在根本方向上，则仍无多大差异处——这是我们已经屡次讲到的了。

对此次文学革命运动起而反对的，是前次已经讲过的严复和林纾等人。西洋的科学哲学和文学，本是由于他们的介绍才得输入中国的，而参加文学革命运动的人们，也大都受过他们的影响。当时林译的小说，由最早的《茶花女》到后来的《十字军英雄记》和《黑太子南征录》，我就没有不读过的。那么，他们为什么又反动起来呢？那是他们有载道的观念之故。严林都十分聪明，他们看出了文学运动的危险将不限于文学方面的改革，其结果势非使儒教思想根本动摇不可。所以怕极了便出面反对。林纾有一封很长的信，致蔡元培先生。登在当时的《公言报》上，在那封信上他说明了这次文学运动将使中国人不能读中国古书，将使中国的伦常道德一齐动摇等危险，而为之担忧。

关于这次运动的情形，没有详细讲述的必要，大家翻看一下《独秀文存》和《胡适文存》，便可看得出他们所主张的是什么。钱玄同和刘半农先生的文章没有收集印行，但在《新文学评论》（王世栋编，新文化书社出版）可以找到，这是最便当的一部书，所有当时关于文学革命这问题的重要文章，主张改革和反对革命的两方面的论战文字，通都收进里面去了。

我已屡次地说过，今次的文学运动，其根本方向和明末的文学运动完全相同，对此，我觉得还须加以解释：

有人疑惑：今次的文学革命运动者主张用白话，明末的文学运动者并没有如此的主张，他们的文章依旧是用古文写作，何以二者会相同呢？我以为：现在的用白话的主张也只是从明末诸人的主张内生出来的。这意见和胡适之先生的有些不同。胡先生以为所以要用白话的理由是，

（1）文学向来是向着白话的路子走的，只因有许多障碍，所以直到现在才入了正轨，以后即永远如此。

（2）古文是死文字，白话是活的。

对于他的理由中的第（1）项，在第二讲中我已经说过：我的意见是以为中国的文学一向并没有一定的目标和方向，有如

一条河，只要遇到阻力，其水流的方向即起变化，再遇到即再变。所以，如有人以为诗言志太无聊，则文学即转入"载道"的路，如再有人以为"载道"太无聊，则即再转"言志"的路。现在虽是白话，虽是走着言志的路子，以后也仍然要有变化，虽则未必再变得如唐宋八家或桐城派相同，却许是必得对于人生和社会有好处的才行，而这样则又是"载道"的了。

对于其理由中的第（2）项，我以为古文和白话并没有严格的界限，因此死活也难分。几年前，曾有过一桩笑话：那时章士钊以为古文比白话文好，于是以"二桃杀三士"为例，他说这句话要用白语写出则必变为"两个桃子，害死了三个读书人"，岂不太麻烦么？在这里，首先他是将"三士"讲错了："二桃杀三士"为诸葛亮《梁父吟》中的一句，其来源是《晏子春秋》里边所讲的一段故事，三士所指系三位游侠之士，并非"三个读书人"。其次，我以为这句话就是白话而不是古文。例如在我们讲话时说，"二桃"就可以，不一定要说"两个桃子"，"三士"亦然。杀字更不能说是古文。现在所作的白话文内，除了"呢""吧""么"等字比较新一些外，其余的几乎都是古字了，如"月"字从甲骨文字时代就有，算是一个极古的字了，然而它却的确没有死。再如"粤若稽古帝尧"一句，可以算是一句死的古文了，但其死只是由于字的排列法是古的,而不能说是由于这几个字是古字的缘故,现在,这句子中的几个字,还都时常被我们应用,那么,怎能算是死文字呢?所以文字的死活只因它的排列法而不同,其古与不古,死与活,在文学的本身并没有明了的界限。即在胡适之先生,他从唐代的诗中提出一部分认为是白话文学,而其取舍却没有很分明的一条线。即此可知古文白话很难分,其死活更难定。因此,我以为现在用白话,并不是因为古文是死的,而是尚有另外的理由在:

(1)因为要言志,所以用白话——我们写文章是想将我们的思想,感情表达出来的。能够将思想和感情多写出一分,文章的艺术分子即加增一分,写出得愈多便愈好。这和政治家外交官的谈话不同,他们的谈话是以不发表意见为目的的,总是愈说愈令人有莫知究竟之感。要想将我们的思想感情,尽可能地多写出来,最好的办法是如胡适之先生所说的:"话怎么说,就怎么写",必如此,才可以"不拘格套",才可以"独抒性灵"。比如,有朋友在上海生病,我们得到他生病的电报之后,即赶到东车站搭车到天津,又改乘轮船南下,第三天便抵上海。我们若用白话将这件事如实地记载出来,则可以看得出这是用最快的走法前去。从这里,我和那位朋友间的密切关系,也自然可以看得出来。若用古文记载,势将怎么也说不对。"得到电报"一句，用周秦诸子或桐城派的写法都写不出来，因"电报"二字找不到古文来代替，若说接到"信"，则给人的印象很小，显不出这事情的紧要来。"东车站"也没有适当的古文可以代替，若用"东驿"，意思便不一样，因当时驿站间的交通是用驿马。"火车""轮船"等等名词也都如此。所以，对于这件事情的叙述，应用古雅的字不但达不出真切的意思，而且在时间方面也将弄得不与事实相符。又如现在的"大学"若写作古代的"成均"和"国子监"，则其所给予人的印象也一定不对。从这些简单的事情上，即可知道想要表达现在的思想感情，古文是不中用的。

我们都知道，作战的目的是要消灭敌人而不要被敌人打死。因此，选用效力最大的武器是必须的：用刀棍不及用弓箭，用弓箭不及用枪炮，枪炮只有射击力最大的才最好，所以现在都用大炮而不用刀剑。不过万一有人还能以青龙偃月刀与机关枪相敌，——能够以青龙偃月刀发生比机关枪更大的效力，这当然是不可能的事了，——但万一有人能够作到呢，则青龙偃月刀在现在也仍不妨一用的。文学上的古文也如此，现在并非一定不准用古文，如有人能用古文很明了地写出他的思想感情，较诸用白话文字写还能表现得更多更好，则也大可不必用白话的，然而谁敢说他能够这样做呢？

传达思想，感情的方法很多，用语言，用颜色，用音乐或文字都可以，本无任何限制。我自己是不懂音乐的，但据我想来，对于传达思想和感情，也许那是一种最便当，效力最大的东西吧，用言语传达就比较难，用文字写出更难。譬如我们有时候非常高兴，高兴的原因却有很多：有时因为考试成绩好，有时因为发了财，有时又因为恋爱的成功等等，假如对这种种事件都只用"高兴"的字样去形容，则各种高兴间不同的情形便表示不出，这样便是不得要领。所以，将我们的思想感情用文字照原样完全描绘出来，是一件很不容易的事。既很不容易而到底还想将它们的原面目尽量地保存在文字当中，结果遂不能不用最近于语言的白话。这是现在所以用白话的主要原因之一，而和明末"信腕信口"的主张，原也是同一纲领——同是从"言志"的主张中生出来的必然结果。在明末还没想到用白话，所以只能就文言中的可能，以表达其思想感情而已。

向来还有一种误解，以为写古文难，写白话容易。据我的经验说却不如是：写古文较之写白话容易得多，而写白话则有时实是自讨苦吃。我常说，如有人想跟我学作白话文，一两年内实难保其必有成绩；如学古文，则一百天的功夫定可使他学好。因为教古文，只须从古文中选出百来篇形式不同格调不同的作为标本，让学生去熟读即可。有如学唱歌，只须多记住几种曲谱：如国歌，进行曲之类，以后即可按谱填词。文章读得多了，等作文时即可找一篇格调相合的套上。如作寿序，作祭文等，通可用这种办法。古人的文字是三段，我们也作三段，五段则也五段。这样则教者只对学者加以监督，使学者去读去套，另外并不须再教什么。这种办法，并非我自己想出的，以前的作古文的，的确就是应用这办法的，清末文人也曾公然地这样主张过，但难处是：譬如要作一篇祭文，想将死者全生平的历史都写进去，有时则限于古人文字中的段落太少而不能做到，那时候便不得不削足以适履了。古文之容易在此，其毛病亦在此。

白话文的难处，是必须有感情或思想作内容，古文中可以没有这东西，而白话文缺少了内容便作不成。白话文有如口袋装进什么东西去都可以，但不能任何东西不装。而且无论装进什么，原物的形状都可以显现得出来。古文有如一只箱子，只能装方的东西，圆东西则盛不下，而最好还是让他空着，任何东西都不装。大抵在无话可讲而又非讲不可时，古文是最有用的。譬如远道接得一位亲属写来的信，觉得对他讲什么都不好，然而又必须回复他，在这样的时候，若写白话，简单的几句便可完事，当然不相宜的，若用古文，则可以套用旧调，虽则空洞无物，但八行书准可写满。

（2）因为思想上有了很大的变动，所以须用白话——假如思想还和以前相同，则可仍用古文写作，文章的形式是没有改革的必要的。现在呢，由于西洋思想的输入，人们对于政治，经济，道德等的观念，和对于人生，社会的见解，都和从前不同了。应用这新的观点去观察一切，遂对一切问题又都有了新的意见要说要写。然而旧的皮囊盛不下新的东西，新的思想必须用新的文体以传达出来，因而便非用白话不可。

现在有许多文人，如俞平伯先生，其所作的文章虽用白话，但乍看来其形式很平常，其态度也和旧时文人差不多，然在根柢上，他和旧时的文人却绝不相同。他已受过了西洋思想的陶冶，受过了科学的洗礼，所以他对于生死，对于父子，夫妇等的意见，都异于从前很多。在民国以前人们，甚至于现在的戴季陶张继等人，他们的思想和见地，都不和我们相同，按张戴的思想讲，他们还都是庚子以前的人物，现在的青年，都懂得了进化论，习过了生物学，受过了科学的训练。所以尽管写些关于花木，山水，吃酒一类的东西，题目和从前相似，而内容则前后绝不相同了。

附录一 论八股文

我查考中国许多大学的国文系的课程，看出一个同样的极大的缺陷，便是没有正式的八股文的讲义。我曾经对好几个朋友提议过，大学里——至少是北京大学应该正式地"读经"，把儒教的重要的经典，例如《易》，《诗》，《书》，一部部地来讲读，照在现代科学知识的日光里，用言语历史学来解释它的意义，用"社会人类学"来阐明它的本相，看它到底是什么东西，此其一。在现在大家高呼伦理化的时代，固然也未必会有人胆敢出来提倡打倒圣经，即使当日真有"废孔子庙罢其祀"的呼声，他们如没有先去好好地读一番经，那么也还是白呼的。我的第二个提议：便是应该大讲其八股，因为八股是中国文学史上承先启后的一个大关键，假如想要研究或了解本国文学而不先明白八股文这东西，结果将一无所得，既不能通旧传统之极致，亦遂不能知新的反动的起源。所以，除在文学史大纲上公平地讲过之外，在本科二三年应礼聘专家讲授八股文，每周至少二小时，定为必修科，凡此课考试不及格者不得毕业。这在我是十二分地诚实的提议，但是，呜呼哀哉，朋友们也以为我是以讽刺为业，都认作一种玩笑的话，没有一个肯接受这个条陈。固然，人选困难也的确是一个重要的原因，精通八股的人现在已经不大多了，这些人又未必都适于或肯教，只有夏曾佑先生听说曾有此意，然而可惜这位先觉早已归了道山了。

八股文的价值却绝不因这些事情而跌落。它永远是中国文学——不，简直可以大胆一点说中国文化的结晶，无论现在有没有人承认这个事实，这总是不可遮掩的明白的事实。八股算已经死了，不过，它正如童话里的妖怪，被英雄剁做几块，它老人家整个是不活了，那一块一块的却都活着，从那妖形怪势上看来，可以证明老妖的不死。我们先从汉字看起。汉字这东西与天下的一切文字不同，连日本朝鲜在内：它有所谓六书，所以有象形会意，有偏旁；有所谓四声，所以有平仄。从这里，必然地生出好些文章上的把戏。有如对联，"云中雁"对"鸟枪打"这种对法，西洋人大抵还能了解，至于红可以对绿而不可以对黄，则非黄帝子孙恐怕难以懂得了。有如灯谜，诗钟。再上去，有如律诗，骈文，已由文字的游戏而进于正宗的文学。自韩退之文起八代之衰，化骈为散之后，骈文似乎已交末运，然而不然：八股文生于宋,至明而少长,至清而大成,实行散文的骈文化,结果造成一种比六朝的骈文还要圆熟的散文诗,真令人有观止之叹。而且破题的作法差不多就是灯谜,至于有些"无情搭"显然须应用诗钟的手法才能奏效,所以八股不但是集合古今骈散的菁华,凡是从汉字的特别性质演出的一切微妙的游艺也都包括在内,所以我们说它是中国文学的结晶,实在是没有一丝一毫的虚价。民国初年的文学革命,据我的解释,也原是对于八股文化的一个反动,世上许多褒贬都不免有点误解,假如想了解这个运动的意义而不先明了八股是什么东西,那犹如不知道清朝历史的人想懂辛亥革命的意义,完全是不可能的了。

其次,我们来看一看八股里的音乐的分子。不幸我于音乐是绝对的门外汉,就是顶好的音乐,我听了也只是不讨厌罢了,全然不懂它的好处在那里,但是我知道:中国国民酷好音乐,八股文里含有重量的音乐分子,知道了这两点,在现今的谈论里也就勉强可以对付了。我常想中国人是音乐的国民,虽然这些音乐在我个人偏偏是不甚喜欢的。中国人的戏迷是实在的事,他们不但在戏园子里迷,就是平常一个人走夜路,觉得有点害怕,或是闲着无事的时候,便不知不觉高声朗诵起来,是"空城计"的一节呢,还是"四郎探母",因为是外行我不知道,但总之是唱着什么就是。昆曲的句子已经不大高明，皮黄更是不行，几乎是"八部书外"的东西，然而中国的士大夫也乐此不疲，虽然他们如默读脚本，也一定要大叫不通不止，等到在台上一发声，把这些不通的话拉长了，加上丝弦家伙，他们便觉得滋滋有味，颠头摇腿，至于忘形：我想，这未必是中国的歌唱特别微妙，实在只是中国人特别嗜好节调罢。从这里我就联想到中国人的读诗，读古文，尤其是读八股的上面去。他们读这些文章时的那副情形大家想必还记得，摇头摆脑，简直和听梅畹华先生唱戏时差不多，有人见了要诧异地问，哼一篇烂如泥的烂时文，何至于如此快乐呢？我知道，他是麻醉于音乐里呢。他读到这一中股："天地乃宇宙之乾坤，吾心实中怀之在抱，久矣夫千百年来已非一日矣，溯往事以追维，曷勿考记载而诵诗书之典要"，耳朵里只听得自己的琅琅的音调，便有如置身戏馆，完全忘记了这些狗屁不通的文句，只是在抑扬顿挫的歌声中间三魂渺渺七魄茫茫地陶醉着了。（说到陶醉，我很怀疑这和抽大烟的快乐有点相近，只可惜现在没有充分的材料可以证明。）

　　再从反面说来，做八股文的方法也纯粹是音乐的。它的第一步自然是认题，用做灯谜诗钟以及喜庆对联等法，检点应用的材料，随后是选谱，即选定合宜的套数，按谱填词，这是极重要的一点。从前有一个族叔，文理精通，而屡试不售，遂发奋用功，每晚坐高楼上朗读文章（小题正鹄？），半年后应府县考皆列前茅，次年春即进了秀才。这个很好的例可以证明八股是文义轻而声调重，做文的秘诀是熟记好些名家旧谱，临时照填，且填且歌，跟了上句的气势，下句的调子自然出来，把适宜的平仄字填上去，便可成为上好时文了。中国人无论写什么都要一面吟哦着，也是这个原故，虽然所做的不是八股。读书时也是如此，甚至读家信或报章也非朗诵不可，于此更可以想见这种情形之普遍了。

其次，我再来一谈中国的奴隶性罢。几千年来的专制养成很顽固的服从与模仿根性，结果是弄得自己没有思想，没有话说，非等候上头的吩咐不能有所行动，这是一般的现象，而八股文就是这个现象的代表。前清末年有过一个笑话，有洋人到总理衙门去，出来了七八个红顶花翎大官，大家没有话可讲，洋人开言道："今天天气好。"首席的大声答道"好"。其余的红顶花翎接连地大声答道好好好……，其声如狗叫云。这个把戏是中国做官以及处世的妙诀，在文章上叫作"代圣贤立言"，又可以称作"赋得"，换句话就是奉命说话。做"制艺"的人奉到题目，遵守"功令"，在应该说什么与怎样说的范围之内，尽力地显出本领来，显得好时便是"中式"，就是新贵人的举人进士了。我们不能轻易地笑前清的老腐败的文物制度，它的精神在科举废止后在不曾见过八股的人们的心里还是活着。吴稚晖公说过，中国有土八股，有洋八股，有党八股，我们在这里觉得未可以人废言。在这些八股做着的时候，大家还只是旧日的士大夫，虽然身上穿着洋服，嘴里咬着雪茄。

要想打破一点这样的空气，反省是最有用的方法，赶紧去查考祖先的窗稿，拿来与自己的大作比较一下，看看土八股究竟死绝了没有，是不是死了之后还是夺舍投胎地复活在我们自己的心里。这种事情是不大愉快的，有些人或者要感到痛苦，有如洗刮身上的一个大疔疮。这个，我想也可以各人随便，反正我并不相信统一思想的理论，假如有人怕感到幻灭之悲哀，那么让他仍旧把膏药贴上也并没有什么不可罢。

总之我是想来提倡八股文之研究，纲领只此一句，其余的说明可以算是多余的废话，其次，我的提议也并不完全是反话或讽刺，虽然说得那么地不规矩相。

案此文原刊一九三〇年五月十九日《骆驼草》，得周先生同意附载于此。平白附记，九月。

附录二 沈启无选辑《近代散文钞》目录

第一卷目录

周作人新序

周作人序

自序

袁伯修文钞：

    论文上（《白苏斋类集》）

    论文下

    西山五记

袁中郎文钞：

    雪涛阁集序（《瓶花斋集》）

    叙小修诗（《锦帆集》）

    识伯修遗墨后（《潇碧堂集》）

    叙陈正甫会心集（《解脱集》）

叙嵩氏家绳集(《潇碧堂集》)

碧晖上人修净室引(《解脱集》)

满井游记(《瓶花斋集》)

高粱桥游记

西湖一(《解脱集》)

西湖二

西湖三

西湖四

孤山

飞来峰

灵隐

龙井

烟霞石屋

南屏

莲花洞

御教场

吴山

云栖①

---

① 此处漏印篇目"湖上杂叙"。

袁小修文钞:

  中郎先生全集序(《珂雪斋集选》)

  阮集之诗序

  淡成集序

  宋元诗序

  花雪赋引

  西山十记

钟伯敬文钞:

  诗归序(《翠娱阁评选钟伯敬先生合集》)

  隐秀轩集自序

  问山亭诗序

  自题诗后

  摘黄山谷题跋语记

谭友夏文钞:[①]

  虎井诗自题(《谭子诗归》)

  自题西陵草

  秋寻草自序

---

① 此处漏印篇目"诗归序(《钟谭评选古诗归》)","袁中郎先生续集序(《谭友夏合集》)"。

退寻诗三十二章记

自题湖霜草

客心草自序

自序游首集

自题秋冬之际草

秋闺梦戍诗序(《媚幽阁文娱》)

刘同人文钞：

水关(《帝京景物略》)

定国公园

三圣庵

满井

高梁桥

极乐寺

白石庄

温泉

水尽头

雀儿庵

西堤

王季重文钞：

落花诗序(《王季重杂著》)

倪翼元宦游诗序

南明纪游序

游西山诸名胜记（《文饭小品》）

游满井记

游敬亭山记

上君山记

游广陵诸胜记

再上虎丘记

纪游（《游唤》）

东山

剡谿

天姥

华盖

石门

小洋

陈眉公文钞：

文娱序（《媚幽间文娱》）

茶董小叙（《晚香堂小品》）

酒颠小叙

牡丹亭题词

花史跋

游桃花记

李流芳文钞：

西泠桥题画（《西湖卧游图题跋》）

题孤山夜月图

题两峰罢雾图

题烟霞春洞图

题法相山亭画

题西溪画

云居山红叶记

题紫阳庵画

云栖春雪图跋

题雪山图

题六和塔晓骑图[①]

张京元文钞：

---

① 从"李流芳文钞"至此处，与《近代散文钞》原书目录不同，原书作：李长蘅文钞：紫阳洞，云居寺，西泠桥，两峰罢雾图，法相寺山亭图，胜果寺月岩图，六和晓骑图，永兴兰若，冷泉红树图，断桥春望图，南屏山寺，雷峰暝色图，紫云洞，洞中第一桥，云栖晓雾图，烟霞春洞，江干积雪图，岣嵝云洞，孤山夜月图，三潭采莼图（《西湖卧游图题跋一卷》）。

湖上小记十一篇[1]

倪元璐文钞：

谑庵悔谑钞小引（《鸿宝应本》）

祁止祥稿序[2]

第二卷目录

张宗子文钞：

瑯嬛诗集序（《瑯嬛诗集》）

四书遇序（《瑯嬛文集》）

陶庵梦忆序

夜航船序

西湖梦寻序

一卷冰雪文后序

跋寓山注

跋徐青藤小品画

岱志

海志

---

[1] 篇目"九里松""韬光庵""上天竺""断桥""孤山""苏堤""湖心亭""石屋""烟霞寺""法相寺""龙井"。

[2] 此处漏印篇目"叙萧尔重盆园草"。

五异人传

自为墓志铭

金山夜戏（《陶庵梦忆》）

金山竞渡

闵老子茶

姚简叔画

彭天锡串戏

柳敬亭说书

张东谷好酒

西湖七月半

湖心亭看雪

及时雨

龙山雪

庞公池[①]

明圣二湖（《西湖梦寻》）

大佛头

冷泉亭

祁世培文钞：

---

① 此处漏印篇目"阮圆海戏"。顺序与原书目录小异。

寓山注小序九篇（《寓山注》）①

金圣叹文钞：

  贯华堂古本水浒传序（七十回本《水浒传》）

  水浒传序三

  论诗书札八则（《唐才子书》）②

李笠翁文钞：

  海棠（《笠翁偶集》）

  芙蕖

  竹

  柳

  随时即景就事行乐之法十一款

沈君烈文钞：

  云彦小草叙（《即山集》）

  赠高学师叙

  考卷帜序

  赠偶伯瑞序

廖柴舟文钞：

---

① 《近代散文钞》原书作：寓山注小序，水明廊，让鸥池，踏香堤，小斜川，芙蓉渡，回波屿，妙赏亭，远阁，柳陌（《寓山注》）。

② 《近代散文钞》原书作：论诗手札九则（《贯华堂选批唐才子诗甲集》）。

小品自序（《二十七松堂文集》）

丁戌集自序

选古文小品序

自题刻稿

自题竹籁小草

半辐亭试茗记

俞平伯跋

后记

附录一：各家小传

附录二：书目介绍

    沈先生所编《近代散文钞》原名《冰雪小品选》，大抵以明季公安竟陵两派为中心，自万历以至清之乾隆，"文学革命"散文方面之新文学，搜罗几备矣。周先生讲演集，提示吾人以精澈之理论，而沈先生散文钞，则供给吾人以可贵之材料，不可不兼读也。因附录沈书篇目于此。沈先生并嘱编者为记数语焉。

（平白）①

---

① 本书据人文书店1932年9月初版本排印。讲校者：周作人；记录者：邓恭三（广铭）。

下编 国语文学谈

《近代散文钞》序

启无编选明清时代的小品文为一集,叫我写一篇序或跋,我答应了他,已将有半年了。我们预约在暑假中缴卷,那时我想,离暑假还远,再者到了暑假也还有七十天闲暇,不愁没有工夫,末了是反正不管序跋,随意乱说几句即得,不必问切不切题,因此便贸贸然地答应下来了。到了现在鼻加答儿好了之后,仔细一算已过了九月十九,听因百说启无已经回到天津,而平伯的跋也在"草"上登了出来,乃不禁大着其忙,急急地来构思作文。本来颇想从平伯的跋里去发见一点提示,可以拿来发挥一番,较为省力,可是读后只觉得有许多很好的话都被平伯说了去,很有点儿怨平伯之先说,也恨自己之为什么不先做序,不把这些话早截留了,实是可惜之至。不过,这还有什么办法呢?只好硬了头皮自己来想罢,然而机会还是不肯放弃,我在平伯的跋里找到了这一句话,"小品文的不幸无异是中国文坛上的一种不幸",做了根据,预备说几句,虽然这些当然是我个人负责。

我要说的话干脆就是,启无的这个工作是很有意思的,但难得受人家的理解和报酬。为什么呢?因为小品文是文艺的少子,年纪顶幼小的老头儿子。文艺的发生次序大抵是先韵文,次散文,韵文之中又是先叙事抒情,次说理,散文则是先叙事,次说理,最后才是抒情。借了希腊文学来做例,一方面是史诗和戏剧,抒情诗,格言诗,一方面是历史和小说,哲学,——小品文,这在希腊文学盛时实在还没有发达,虽然那些哲人(Sophistai)似乎有这一点气味,不过他们还是思想家,有如中国的诸子,只是勉强去仰攀一个渊源,直到基督纪元后希罗文学时代才可以说真是起头了,正如中国要在晋文里才能看出小品文的色彩来一样。我卤莽地说一句,小品文是文学发达的极致,它的兴盛必须在王纲解纽的时代。未来的事情,因为我到底不是问星处,不能知道,至于过去的史迹却还有点可以查考。我想古今文艺的变迁曾有两个大时期,一是集团的,一是个人的,在文学史上所记大都是后期的事,但有些上代的遗留如歌谣等,也还能推想前期的文艺的百一。在美术上便比较地看得明白,绘画完全个人化了,雕塑也稍有变动,至于建筑,音乐,美术工艺如瓷器等,却都保存原始的迹象,还是民族的集团的而非个人的艺术,所寻求表示的也是传统的而非独创的美。在未脱离集团的精神之时代,硬想打破它的传统,又不能建立个性,其结果往往青黄不接,呈出丑态,固然不好,如以现今的瓷器之制作绘画与古时相较,即可明了,但如颠倒过来叫个人的艺术复归于集团的,也不是很对的事。对不对是别一件事,与有没有是不相干的,所以这两种情形直到现在还是并存,不,或者是对峙着。集团的美术之根据最初在于民族性的嗜好,随后变为师门的传授,遂由硬化而生停滞,其价值几乎只存在技术一点上了。文学则更为不幸,授业的师傅让位于护法的君师,于是集团的"文以载道"与个人的"诗言志"两种口号成了敌对,在文学进了后期以后,这新旧势力还永远相搏,酿成了过去的许多五花八门的文学运动。在朝廷强盛,政教统一的时代,载道主义一定占势力,文学大盛,统是平伯所谓"大的高的正的",可是又就"差不多总是一堆垃圾,读之昏昏欲睡"的东西。一到了颓废时代,皇帝祖师等等要人没有多大力量了,处士横议,百家争鸣,正统家大叹其人心不古,可是我们觉得有许多新思想好文章都在这个时代发生,这自然因为我们是诗言志派的。小品文则在个人的文学之尖端,是言志的散文,它集合叙事说理抒情的分子,都浸在自己的性情里,用了适宜的手法调理起来,所以是近代文学的一个潮头，它站在前头，假如碰了壁时自然也首先碰壁。因为这个缘故，启无选集前代的小品文，给学子当作明灯，可以照见来源去路，不但是在自己很有趣味，也是对于别人很有利益的事情。不过在载道派看来这实在是左道旁门，殊堪痛恨，启无的这本文选其能免于覆瓿之厄乎，未可知也。但总之也没有什么关系。是为序。

中华民国十九年九月二十一日，于北平煅药庐。

（1930年作，选自《苦雨斋序跋文》）

《近代散文钞》新序

我给启无写《近代散文钞》的序还是在两年前,到了现在书才出版,再拿起原序来看,觉得这其间的时光仿佛有点辽远了,那里所说的话也不免有点迂远了,便想再来添写这篇新序,老老实实的说几句话。

启无编刊这部散文钞,有益于中国学术文艺上的地方很多,最重要的是这两点,其一,中国讲本国的文学批评或文学史的,向来不大看重或者简直抹杀明季公安竟陵两派文章,偶尔提及,也总根据日本和清朝的那种官话加以轻蔑的批语,文章统系仿佛是七子之后便由归唐转交桐城派的样子,这个看法我想是颇有错误的。他们不知道公安竟陵是那时的一种新文学运动,这不但使他们对于民国初年的文学革命不能了解其意义,便是清初新旧文学废兴也就有些事情不容易明了了。日本铃木虎雄的《中国诗论史》上举出性灵一派与格调气韵诸说相并，但是不将这派的袁子才当作公安的末流，却去远寻杨诚斋来给他做义父，便是一例，中国誊录铃木之说者也就多照样的说下去了。启无这部书并非议论，只是勤劳的辑录明末清初的新文学派的文章，结果是具体的将公安竟陵两派的成绩——即其作品和文学意见结集在一处，对于那些讲中国文学的朋友供给一种材料，于事不无小补。古人的著作苟存于世间，其价值也自存在，不以无人顾问而消灭，公安竟陵非亲非眷，吾辈本无庸扰扰为古人争身后之名，只是有此文学史上的材料而听其湮没亦是可惜，如得有人为表而出之，乃亦大可喜耳。

其二，中国古文汗牛充栋，但披沙拣金，要挑剔多少真正好的文艺，却是极难的事。正宗派论文高则秦汉，低则唐宋，滔滔者天下皆是，以我旁门外道的目光来看，倒还是上有六朝下有明朝吧。我很奇怪学校里为什么有唐宋文而没有明清文——或称近代文，因为公安竟陵一路的文是新文学的文章，现今的新散文实在还沿着这个统系，一方面又是韩退之以来的唐宋文中所不易找出的好文章。平心静气的一想，未成正宗的新思想新文章希望公家来提倡本来有点儿傻气，不必说过去的便是现今的新文学在官公私各学校里也还没有站得住脚呢。退一步想，只好索解于民间，请青年学子有点好奇心的自己来看看吧。可惜明人文集在此刻极不易得，而且说也奇怪，这些新文人的著作又多是清朝的禁书，留下来的差不多是秦火之余，更是奇货可居，不是学生之力所能收留的了。在这里，启无的这部书的确是"实为德便"。在近来两三年内启无利用北平各图书馆和私家所藏明人文集，精密选择，录成两卷，各家菁华悉萃于此，不但便于阅读，而且使难得的古籍，久湮的妙文，有一部分通行于世，寒畯亦得有共赏的机会，其功德岂浅鲜哉。平常有人来问我近代文中有什么书可读，我照例写几部绝版禁书的名目给他，我知道这是画饼，但是此外实无办法，现在这部散文钞出版之后那我就有了办法了。

中华民国二十一年九月六日，于北平。

（1932年作，选自《苦雨斋序跋文》）

《中国新文学大系·散文一集》导言

新文学的散文可以说是始于文学革命。在清末戊戌前后也曾有过白话运动,但这乃是教育的而非文学的。我在《中国新文学的源流》第五讲中这样说过:

在这时候,曾有一种白话文字出现,如《白话报》,《白话丛书》等,不过和现在的白话文不同,那不是白话文学,而只是因为想要变法,要使一般国民都认些文字,看看报纸,对国家政治都可明了一点,所以认为用白话写文章可得到较大的效力。因此,我以为那时候的白话和现在的白话文有两点不同:

第一,现在的白话文是"话怎么说便怎么写"。那时候却是由八股翻白话。有一本《女诫注释》,是那时候的《白话丛书》之一,序文的起头是这样:

> 梅侣做成了《女诫》的注释，请吴芙做序，吴芙就提起笔来写道，从古以来，女人有名气的极多，要算曹大家第一，曹大家是女人当中的孔夫子，《女诫》是女人最要紧念的书。……

又后序云：

> 华留芳女史看完了裘梅侣做的曹大家《女诫》注释，叹一口气说道，唉，我如今想起中国的女子，真没有再比他可怜的了。……

这仍然是古文里的格调，可见那时的白话，是作者用古文想出之后，又翻作白话写出来的。

第二，是态度的不同——现在我们作文的态度是一元的，就是：无论对什么人，作什么事，无论是著书或随便地写一张字条儿，一律都用白话。而以前的态度则是二元的：不是凡文字都用白话写，只是为一般没有学识的平民和工人才写白话的。因为那时候的目的是改造政治，如一切东西都用古文，则一般人对报纸仍看不懂，对政府的命令也仍将不知是怎么一回事，所以只好用白话。但如写正经的文章或著书时，当然还是作古文的。因此我们可以说，在那时候，古文是为"老爷"用的，白话是为"听差"用的。

总之，那时候的白话，是出自政治方面的需求，只是

戊戌变法的余波之一，和后来的白话文可说是没有多大关系的。（邓恭三记录）

话虽如此，那时对于言文问题也有很高明的意见的，如黄遵宪在光绪十三年（1887）著《日本国志》，卷三十二《学术志二》记日本文字，末云：

> 泰西论者谓五部洲中以中国文字为最古，学中国文字为最难，亦谓语言文字之不相合也。然中国自虫鱼云鸟屡变其体，而后为隶书为草书，余乌知夫他日者不又变一字体为愈趋于简愈趋于便者乎。自《凡将》《训纂》逮夫《广韵》《集韵》，增益之字积世愈多，则文字出于后人创造者多矣，余又乌知夫他日者不见孳生之字为古所未见今所未闻者乎。周秦以下文体屡变，逮夫近世，章疏移檄，告谕批判，明白晓畅，务期达意，其文体绝为古人所无，若小说家言更有直用方言以笔之于书者，则语言文字几乎复合矣，余又乌知夫他日者不更变一文体为适用于今通行于俗者乎。嗟乎，欲令天下之农工商贾妇女幼稚，皆能通文字之用，其不得不于此求一简易之法哉。

就是《白话丛书》的编者裘廷梁在代序《论白话为维新之本》（戊戌七月）中也有这样的话：

使古之君天下者崇白话而废文言，则吾黄人聪明才力无他途以夺之，必且务为有用之学，何至暗没如斯矣。吾不知夫古人之创造文字，将以便天下之人乎，抑以困天下之人乎？人之求通文字，将驱遣之为我用乎，抑将穷志尽气受役于文字，以人为文字之奴隶乎？且夫文字至无奇也，苍颉沮诵造字之人也，其功与造话同，而后人独视文字为至珍贵之物，从而崇尚之者，是未知创造文字之旨也。今夫一大之为天也，山水土之为地也，亦后之人踵事增华从而粉饰之耳，彼其造字之始本无精义，不过有事可指则指之，有形可象则象之，象形指事之俱穷，则亦任意涂抹，强名之曰某字某字，以代结绳之用而已。今好古者不闻其尊绳也，而独尊文字，吾乌知其果何说也。或曰，会意谐声非文字精义耶？曰，会意谐声，便记认而已，何精义之有。中文也，西文也，横直不同而为用同。文言也，白话也，繁简不同而为用同。只有迟速，更无精粗，必欲重此而轻彼，吾又乌知其何说也。且夫文言之美非真美也，汉以前书曰群经曰诸子曰传记，其为言也必先有所以为言者存，今虽以白话代之，质干具存，不损其美。汉后说理记事之书，去其肤浅，删其繁复，可存者百不一二，此外汗牛充栋，效颦以为工，学步以为巧，调朱傅粉以为妍，使以白话译之，外美既去，陋质悉呈，好古之士将骇而走耳。

又有云：

> 故曰，辞达而已矣。后人不明斯义，必取古人言语与今人不相肖者而摹仿之，于是文与言判然为二，一人之身而手口异国，实为二千年来文字一大厄。

黄氏云：

> 居今之日读古人书，徒以父兄师长递相传授，童而习焉，不知其艰，苟迹其异同之故，其与异国之人进象胥舌人而后通其言辞者，相去能几何哉。

二者意思相似，都说得很通达，"手口异国"一语更很得要领，这种态度颇有点近于一元的了，但是这总是极少数，在那时办白话报等的人大都只注重政治上的效用也是事实，而且无论理论如何写出来的白话文还不能够造成文艺作品，也未曾明白地有此种企图。十二年后即宣统庚戌（1910）在东京的旧《民报》社员编刊一种《教育今语杂志》，于"共和纪元二千七百五十一年"一月创刊，共出了六册，内容于社说外分中国文字学、群经学、诸子学、历史学、地理学、教育学等七门，用白话讲述，目的在于行销南洋各地，宣传排满，如发刊缘起中所说，"期邦人诸友发思古之幽情，勉为炎黄之肖子焉。"撰稿者有章太炎、陶焕卿、钱德潜诸人。那时钱君还不叫作"玄同"，只单名一个"夏"字，取其为"中国人也"的意思，在《今语杂志》中署名"浑然"，撰过两篇关于文字学的文章，第一册里有一篇《共和纪年说》，主张用周召共和来做中国纪年，也是他所写的。今抄录一节，可以见当时的文体与论调：

还有那外国人打进来，灭了我国，自称皇帝，像那元朝的样子，我们中国人倘然还有一口气没有绝，总不应该扁扁服服，做他的奴隶牛马，自称大元国的百姓。他的国号纪年不但和我们不相干，并且是我们所绝不应该承认他的。但是从宋帝赵昺赴海以后，天完帝徐寿辉起义以前，这七十一年中间中国竟没有皇帝，到这种时候用皇帝来纪年的竟没有法子想了，就是真讲爱国保种的也只好老老面皮用元朝来纪年了。你们想，中国史上用外国人纪年，道理上怎么讲得过去，况且中国没有皇帝可纪元的时候还不止宋和天完间的七十一年么？

那时的作者自然也是意不在文，因为目的还是教育以及政治的，其用白话乃是一种手段，引渡读者由浅入深以进于古学之堂奥者也。

民国六年以至八年文学革命的风潮勃兴，渐以奠定新文学的基础，白话被认为国语了，文学是应当"国语的"了，评论、小说、诗、戏曲都发达起来了，这是很热闹的一个时代，但是白话文自身的生长却还很有限，而且也还没有独立的这种品类，虽然在《新青年》等杂志上所谓随感录的小文字已经很多。

八年三月我在《每周评论》上登过一篇小文，题曰《祖先崇拜》，其首两节云：

> 远东各国都有祖先崇拜这一种风俗。现今野蛮民族多是如此，在欧洲古代也已有过。中国到了现在，还保存这部落时代的蛮风，实是奇怪。据我想，这事既于道理上不合，又于事实上有害，应该废去才是。

第一，祖先崇拜的原始的理由，当然是本于精灵信仰。原人思想以为万物都有灵的，形体不过是暂时的住所。所以人死之后仍旧有鬼，存留于世上，饮食起居还同生前一样。这些资料须由子孙供给，否则便要触怒死鬼，发生灾祸。这是祖先崇拜的起源。现在科学昌明，早知道世上无鬼，这骗人的祭献礼拜当然可以不做了。这种风俗，令人废时光，费钱财，很是有损，而且因为接香烟吃羹饭的迷信，许多男人往往藉口于不孝有三无后为大的谬说，买妾蓄婢，败坏人伦，实在是不合人道的坏事。

无论一个人怎样爱惜他自己所做的文章，我总不能说上边的这两节写得好，它只是顽强地主张自己的意见，至多能说得理圆，却没有什么余情，这与浑然先生的那篇正是同等的作品。民国十五年五月我写了一篇五百字的小文，投寄《晨报》，那时还没有副刊，便登在"第七版"上，题曰《美文》：

> 外国文学里有一种所谓论文，其中大约可以分作两类。一批评的，是学术性的。二记述的，是艺术性的，又称作美文。这里边又可以分出叙事与抒情，但也很多两者夹杂的。这种美文似乎在英语国民里最为发达，如中国所熟知的爱

迭生，兰姆、欧文，霍桑诸人都做有很好的美文，近时高尔斯威西、吉欣，契斯透顿也是美文的好手。读好的论文，如读散文诗，因为他实在是诗与散文中间的桥。中国古文里的序记与说等，也可以说是美文的一类。但在现代的国语文学里，还不曾见有这类文章，治新文学的人为什么不去试试呢？我以为文章的外形与内容的确有点关系，有许多思想，既不能作为小说，又不适于做诗，便可以用论文式去表他。他的条件同一切文学作品一样，只是真实简明便好。我们可以看了外国的模范做去，但是需用自己的文句与思想，不可去模仿他们。《晨报》上的《浪漫谈》，以前有几篇倒有点相近，但是后来（恕我直说）落了窠白，用上多少自然现象的字面，衰弱的感伤的口气，不大有生命了。我希望大家卷土重来，给新文学开辟出一块新的土地来，岂不好么。

《浪漫谈》里较好的一篇我记得是讲北京的街道的，作者是罗志希，此外的却都记不得了。《晨报》第七版不久改成副刊，是《中国日报》副刊的起首老店，影响于文坛者颇大，因为每日出版，适宜于发表杂感短文，比月刊周刊便利得多，写文章的人自然也多起来了。以后美文的名称虽然未曾通行，事实上这种文章却渐渐发达,很有自成一部门的可能。十一年三月胡适之给《申报》做《五十年来中国之文学》,第十节中讲到白话文学的成绩,曾这样说:

> 第三,白话散文很进步了。长篇议论文的进步,那是显而易见的,可以不论。这几年来,散文方面最可注意的发展乃是周作人等提倡的小品散文。这一类的小品,用平淡的谈话,包藏着深刻的意味,有时很像笨拙,其实却是滑稽。这一类作品的成功,就可彻底打破那美文不能用白话的迷信了。

新文学中白话散文的成功比较容易,却也比较迟,原来都是事实。十九年九月我给《近代散文钞》做序,有一部分是讲小品文的起源变迁的:

> 小品文是文艺的少子,年纪顶幼小的老头儿子。文艺的发生次序大抵是先韵文,次散文,韵文之中又是先叙事抒情,次说理,散文则是先叙事,次说理,最后才是抒情。借了希腊文学来做例,一方面是史诗和戏剧,抒情诗,格言诗,一方面是历史和小说,哲学,——小品文,这在希

腊文学盛时实在还没有发达,虽然那些哲人(Sophistai)似乎有这一点气味,不过他们还是思想家,有如中国的诸子,只是勉强去仰攀一个渊源,直到基督纪元后希罗文学时代才可以说真是起头了,正如中国要在晋文里才能看出小品文的色彩来一样。我卤莽地说一句,小品文是文学发达的极致,他的兴盛必须在王纲解纽的时代。未来的事情,因为我到底不是问星处,不能知道,至于过去的史迹却还有点可以查考。我想古今文艺的变迁曾有两个大时期,一是集团的,一是个人的,在文学史上所记大都是后期的事,但有些上代的遗留如歌谣等,也还能推想前期的文艺的百一。在美术上便比较地看得明白,绘画完全个人化了,雕塑也稍有变动,至于建筑,音乐,美术工艺如瓷器等,却都保存原始的迹象,还是民族的集团的而非个人的艺术,所寻求表示的也是传统的而非独创的美。在未脱离集团的精神之时代,硬想打破它的传统,又不能建立个性,其结果往往青黄不接,呈出丑态,固然不好,如以现今的瓷器之制作绘画与古时相较,即可明了,但如颠倒过来叫个人的艺术复归于集团的,也不是很对的事。对不对是别一件事,与有没有是不相干的,所以这两种情形直到现在还是并存,不,或者是对峙着。集团的美术之根据最初在于民族性的嗜好，随后变为师门的传授，遂由硬化而生停滞，其价值几乎只存在技术一点上了。文学则更为不幸，授业的师傅让位于护法的君师，于是集团的"文以载道"与个人的"诗言志"两种口号成了敌对，在文学进了后期以后，这新旧势力还永远相搏，酿成了过去的许多五花八门的文学运动。在朝廷强盛，政教统一的时代，载道主义一定占势力，文学大盛，统是平伯所谓"大的高的正的"，可是又就"差不多总是一堆垃圾，读之昏昏欲睡"的东西。一到了颓废时代，皇帝祖师等等要人没有多大力量了，处士横议，百家争鸣，正统家大叹其人心不古，可是我们觉得有许多新思想好文章都在这个时代发生，这自然因为我们是诗言志派的。小品文则在个人的文学之尖端，是言志的散文，他集合叙事说理抒情的分子，都浸在自己的性情里，用了适宜的手法调理起来，所以是近代文学的一个潮头，他站在前头，假如碰了壁时自然也首先碰壁。

这是我的私见，可以拿来说明小品散文晚起的缘故，但是其成功又似比较容易，却还有别的理由。十五年五月我有给平伯的一封信云：

王季重文殊有趣，唯尚有徐文长所说的以古字奇字替代俗字的地方，不及张宗子的自然。张宗子的《琅嬛文集》中记泰山及普陀之游的两篇文章似比《文饭小品》各篇为佳，此书已借给颉刚，如要看可以转向他去借。我常常说现今的散文小品并非五四以后的新出产品，实在是'古已有之'，不过现今重新发达起来罢了。由板桥冬心溯而上之这班明朝文人再上连东坡山谷等，似可编出一本文选，也即为散文小品的源流材料。此件事似大可以做，于教课者亦有便利。现在的小文与宋明诸人之作在文字上固然有点不同，但风致实是一致，或者又加上了一点西洋影响，使他有一种新气息而已。

十五年十一月在重刊《陶庵梦忆》序上也说：

我常这样想，现代的散文在新文学中受外国的影响最少，这与其说是文学革命的，还不如说是文艺复兴的产物，虽然在文学发达的程途上复兴与革命是同一样的进展。在理学与古文没有全盛的时候，抒情的散文也已得到相当的长发，不过在学士大夫眼中自然也不很看得起。我们读明清有些名士派的文章，觉得与现代文的情趣几乎一致，思想上固然难免有若干距离，但如明人所表示的对于礼法的反动则又很有现代气息了。

十七年五月作《杂拌儿》跋，引了上边这一节之后又说道：

  唐宋文人也作过些性灵流露的散文，只是大都自认为文章游戏，到了要做正经文章时便又照着规矩去做古文。明清时代也是如此，但是明代的文艺美术比较地稍有活气，文学上颇有革新的气象，公安派的人能够无视古文的正统，以抒情的态度作一切的文章，虽然后代批评家贬斥他们为浅率空疏，实际却是真实的个性的表现，其价值在竟陵派之上。以前的文人对于著作的态度可以说是二元的，而他们则是一元的，在这一点上与现代写文章的人正是一致。现在的人无论写什么都用白话文，也就是统一的一例，与庚子前后的新党在《爱国白话报》上用白话，自己的名山事业非用古文不可的绝不相同了。以前的人以为文是以载道的东西，但此外另有一种文章却是可以写来消遣的，现在则又把他统一了，去写或读可以说本以消遣，但同时也就是传了道了，或是闻了道。除了还是想要去以载道的老少同志以外，我想现在的人的文学意见大抵是这样，这也可以说是与明代的新文学家的意思相差不远的。在这个情形之下,现在的文学——现在只就散文说——与明代的有些相像,正是不足怪的,虽然并没有模仿,或者也还很少有人去读明文,又因时代的关系在文字上很有欧化的地方,思想上也自然要比四百年前有了明显的改变。现代的散文好像是一条湮没在沙土下的河水,多少年后又在下流被掘了出来,这是一条古河,却又是新的。

在上文又曾这样说:

> 这风致是属于中国文学的,是那样地旧而又这样地新。

这一句话我觉得说的颇得要领。同年十一月作《燕知草》跋,有云:

> 我也看见有些纯粹口语体的文章,在受过新式中学教育的学生手里写得很是细腻流丽,觉得有造成新文体的可能,使小说戏剧有一种新发展,但是在论文,——不,或者不如说小品文,不专说理叙事而以抒情分子为主的,有人称他为絮语过的那种散文上,我想必须有涩味与简单味,

这才耐读,所以他的文词还得变化一点,以口语为基本,再加上欧化语,古文,方言等分子,杂糅调和,适宜地或吝啬地安排起来,有知识与趣味的两重的统制,才可以造出有雅致的俗语文来。我说雅,这只是说自然大方的风度,并不要禁忌什么字句,或者装出乡绅的架子。平伯的文章便多有这些雅致,这又就是他近于明朝人的地方。不过我们要知道,明朝的名士的文章诚然是多有隐遁的色彩,但根本却是反抗的,有些人终于做了忠臣,如王谑庵到复马士英的时候便有会稽乃报仇雪耻之乡非藏垢纳污之地的话,大多数的真正文人的反礼教的态度也很显然,这个统系我相信到了李笠翁袁子才还没有全绝,虽然他们已都变成了清客了。中国新散文的源流我看是公安派与英国的小品文两者所合成,而现在中国情形又似乎正是明季的样子,手拿不动竹竿的文人只好避难到艺术世界里去,这原是无足怪的。我常想,文学即是不革命,能革命就不必需要文学及其他种种艺术或宗教,因为他已有了他的世界了。接着吻的嘴不再要唱歌,这理由正是一致。但是,假如征服了政治的世界而在别的方面还有不满,那么当然还有要到艺术世界里去的时候,拿破伦在军营中带着《少年维特的烦恼》可以算作一例。文学所以虽是不革命,却很有他的存在的权利与必要。

二十一年十一月所写《杂拌儿之二》序中云：

所谓言与物者何耶，也只是文词与思想罢了，此外似乎还该添上一种气味。气味这个字仿佛有点暧昧而且神秘，其实不然。气味是很实在的东西，譬如一个人身上有羊膻气，大蒜气，或者说是有点油滑气，也都是大家所能辨别出来的。这样看去，三代以后的文人里我所喜欢的有陶渊明颜之推两位先生，恰巧都是六朝人物。此外自然也有部分可取，即如上边所说五人（案即白采、苏曼殊、沈复、史震林、盛此公）中，沈三白史梧冈究竟还算佼佼者，《六记》中前三篇多有妙文，《散记》中纪游纪风物如卷二记蟋蟀及姑恶鸟等诸文皆佳，大抵叙事物抒情绪都颇出色，其涉及人生观处则悉失败也。孔子曰，盍各言尔志。我们生在这年头儿，能够于文字中去找到古今中外的人听他言志，这实在已是一个快乐，原不该再去挑剔好丑。但是话虽如此，我们固然也要听野老的话桑麻，市侩的说行市，然而友朋间气味相投的闲话，上自生死兴衰，下至虫鱼神鬼，无不可谈，无不可听，则其乐益大，而以此例彼，人情又复不能无所偏向耳。

胡乱的讲到这里,对于《杂拌儿之二》我所想说的几句话可以接得上去了。平伯那本集子里所收的文章大旨仍旧是杂的,有些是考据的,其文词气味的雅致与前编无异,有些是抒情说理的,如《中年》等,这里边兼有思想之美,是一般文士之文所万不能及的。此外有几篇讲两性或亲子问题的文章,这个倾向尤为显著。这是以科学常识为本,加上明净的感情与清澈的理智,调和成功的一种人生观,以此为志,言志固佳,以此为道,载道亦复何碍。此刻现在中古圣徒遍于目前,欲找寻此种思想盖已甚难,其殆犹求陶渊明颜之推之徒于现代欤。

以上都是我对于新文学的散文之考察,陆续发表在序跋中间,所以只是断片,但是意思大抵还是一贯,近十年中也不曾有多大的变更。二十一年夏间的北平辅仁大学讲演即是以这些意思为根据,简单地联贯了一下。《中国新文学的源流》第二讲中云:

> 对于这复古的风气,揭了反叛的旗帜的,是公安派和竟陵派。公安派的主要人物是三袁,即袁宗道,袁宏道,

袁中道三人,他们是万历朝的人物,约当西历十六世纪之末至十七世纪之初。因为他们是湖北公安县人,所以有了公安派的名称。他们的主张很简单,可以说和胡适之先生的主张差不多。所不同的,那时是十六世纪,利玛窦还没有来中国,所以缺乏西洋思想。(他们也有新思想,乃是外来的佛教,借来与儒教思想对抗。)假如从现代胡适之先生的主张里面减去他所受到的西洋的影响,科学,哲学,文学以及思想各方面的,那便是公安派的思想和主张了。而他们对于中国文学变迁的看法,较诸现代谈文学的人或者还更要清楚一点。理论和文章都很对很好,可惜他们的运气不好,到清朝他们的著作便都成为禁书了,他们的运动也给乾嘉的文人学者所打倒了。

我相信新散文的发达成功有两重的因缘,一是外援,一是内应。外援即是西洋的科学哲学与文学上的新思想之影响,内应即是历史的言志派文艺运动之复兴。假如没有历史的基础,这成功不会这样容易,但假如没有外来思想的加入,即使成功了也没有新生命,不会站得住。关于言志派我在《中国新文学的源流》第三讲中略有说明云:

言志派的文学，可以换一名称，叫做"即兴的文学"，载道派的文学，也可以换一名称，叫做"赋得的文学"。古今来有名的文学作品，通是即兴文学。例如《诗经》上没有题目，《庄子》也原无篇名，他们都是先有意思，想到就写下来，写好后再从文字里将题目抽出。"赋得的文学"是先有题目然后再按题作文。自己想出的题目，作时还比较容易，考试所出的题目便有很多的限制，自己的意见不能说，必须揣摩题目中的意思，如题目是孔子的话，则跟着题目发挥些圣贤道理，如题目为阳货的话，则又非跟着题目骂孔子不可。

末了这几句话固然是讲做真八股者的情形，但是一般的载道派也实在都是如此。我这言志载道的分派本是一时便宜的说法，但是因为诗言志与文载道的话，仿佛诗文混杂，又志与道的界限也有欠明了之处，容易引起缠夹，我曾追加地说明道：

"言他人之志即是载道，载自己的道亦是言志。"这里所说即兴与赋得，虽然说得较为游戏的，却很能分清这两者的特质。重复地说，新散文里这即兴的分子是很重要的，在这一点上他与前一期的新文学运动即公安派全然相同，不过这相同者由于趋势之偶合，并不由于模拟或影响。我们说公安派是前一期的新文学运动，却不将他当作现今新文学运动的祖师，我们读公安派文发现与现代散文有许多类似处觉得很有兴味，却不将他当作轨范去模仿他。这理由是很简明的。新散文里的基调虽然仍是儒道二家的，这却经过西洋现代思想的陶熔浸润，自有一种新的色味，与以前的显有不同，即使在文章的外观上有相似的地方。

我不讳言中国思想里的儒道二家的基调，因为这是事实，非言论所能随便变易，我也并不反对，因为觉得这个基本也并不一定比西洋的宗教思想坏，他更容易收容唯物的常识而一新其面目，如我们近来所见。我常想儒道法实在原是三位一体，儒家一面有他的理想，一面又想顾实行，结果是中庸一路，若要真去实行，却又不能不再降低而成法家，又如抛开实行，便自然专重理想而成道家了。这在当初创始的都是高明的人，后来禁不起徒子徒孙的模拟传说，一样地变成了破落户，其间也有陶渊明颜之推等人能自振作的，实际已是江河日下之势，莫可挽救了。外来的思想也曾来注灌过，如佛教是也，这原是伟大的思想，很可以佩服的，可是他自成一统系，他的倾向又比道家更往左走，他的影响好容易钻到文学里去之后，结果只有两样，这如不是属于宗教类的佛教文学，那就是近似道家思想的一种空灵作品而已。公安派的文学大约只做到这里，现在的要算是进一程了。为什么呢？这便因为现在所受的外来影响是唯物的科学思想，他能够使中国固有的儒道思想切实地淘炼一番，如上文说过，以科学常识为本，加上明净的感情与清澈的理智，调合成功一种人生观，"以此为志，言志固佳，以此为道，载道亦复何碍。"论理，这应该是中国现文坛的普遍的情形，盖中国向无宗教思想的束缚，偏重现实的现世主义上加以唯物的科学思想，自当能和合新旧而别有成就。事实却不尽然，没有能够抓得住这二者的主脑，也没有能够把他们捏作一团，那么结果不是做出一篇新的土八股便是旧的传教的洋话。这也正是无怪的。过去的时间的力量太大了，现在的力量又还太短，虽然期望好文章的出现也是人情，然而性急也无用处，还只好且等待着耳。

对于新文学的散文我的意见大抵就只是如此，要分时期分派别地讲我觉得还无从说起，从民六到现今还没有二十年，何况现在又只以前十年为限呢。我看文艺的段落，并不以主义与党派的盛衰为唯一的依据，只看文人的态度，这是夹杂宗教气的主张载道的呢，还是纯艺术的主张载道的呢，以此来决定文学的转变。现在还是混乱时期，这也还难说，因为各自在那里打转身，似乎都很少真是明确态度。我是这样看，也就是这样地编选。我与郁达夫先生分编这两本散文集，我可以说明我的是那么不讲历史,不管主义党派,只凭主观偏见而编的。这一册里共计有十七人,七十一篇。这里除了我与郁先生约定互相编选之外,其余的许多人大都是由我胡抓瞎扯的。关于这些人有几件事应得说明,今列记于下:

一、有四位已故的人,即徐志摩,刘半农,刘大白,梁遇春,都列在卷首。所选的文章不以民国十五年为限,这可以算是一个例外,但是却也不能说是没有理由的。

二、吴稚晖(这里活人也一律称名,不加先生,下均同。)实在是文学革命以前的人物,他在《新世纪》上发表的妙文凡读过的人是谁也不会忘记的。他的这一种特别的说话法与作文法可惜至今竟无传人,真令人有广陵散之感。为表示尊重这奇文起见,特选录在民十以后所作几篇,只可惜有些现今恐有违碍不能重印,所以只抄了短短的两篇小文。

三、议论文照例不选,所以有些人如蔡子民,陈独秀,胡适之,钱玄同,李守常,陶孟和等的文章都未曾编入。这里就只选了顾颉刚的一篇《古史辨序》,因为我觉得这是很有趣的自叙,胡适之的《四十自述》或者可以相比,不过出得太迟了,已经在民十五之后。《新潮》上还有一篇讲旧家庭的文章,署名"顾诚吾",也可备选,因为是未完的稿,所以决定用了这序文。

四、废名所作本来是小说，但我看这可以当小品散文读，不，不但是可以，或者这样更觉得有意味亦未可知。今从《桥》中选取六则，《枣》中也有可取的文章，因为著作年月稍后，所以只好割爱了。

五、此外还有些人本拟收入，如梁实秋，沈从文，谢六逸，章克标，赵景深等，只可惜大部分著作都在民十五以后，所以不能收在这一集里。近十年来作者如林，未能尽知，自多遗漏，咎何能辞，但决无故意抹杀之事，此则自审可告无罪耳。

六、末了我似乎还得略说我自己对于散文的主观和偏见。前面我听说的多是关于散文的发达，现在是说对于散文本身这东西。我在《草木虫鱼》小引中说过：

> 我平常很怀疑心里的情是否可以用言全表了出来，更不相信随随便便地就表得出来。什么嗟叹啦，永歌啦，手舞足蹈啦的把戏，多少可以发表自己的情意，但是到了成为艺术再给人家去看的时候，恐怕就要发生了好些的变动与间隔，所留存的也就是很微末了。死生之悲哀，爱恋之喜悦，人生最深切的悲欢甘苦，绝对地不能以言语形容，更无论文字，至少在我是这样感想，世间或有天才自然也可以有例外，那么我们凡人所可以文字表现者只是某一种

情意，固然不很粗浅但也不很深切的部分，换句话来说，实在是可有可无不关紧急的东西，表现出来聊以自宽慰消遣罢了。

我觉得文学好像是一个香炉，他的两旁边还有一对蜡烛台，左派和右派。无论那一边是左是右，都没有什么关系，这总之有两位，即是禅宗与密宗，假如容我借用佛教的两个名称。文学无用，而这左右两位是有用有能力的。禅宗的作法的人不立文字，知道它的无用，却寻别的途径。霹雳似的大喝一声，或一棍打去，或一句干矢橛，直截地使人家豁然开悟，这在对方固然也需要相当的感受性，不能轻易发生效力，但这办法的精义实在是极对的，差不多可以说是最高理想的艺术，不过在事实上艺术还着实有志未逮，或者只是音乐有点这样的意味，缠缚在文字语言里的文学虽然拿出什么象征等物事来在那里挣扎，也总还追随不上。密宗派的人单是结印念咒，揭谛揭谛波罗揭谛几句话，看去毫无意义，实在含有极大力量，老太婆高唱阿弥陀佛，便可安心立命，觉得西方有分，绅士平日对于厨子呼来喝去，有朝一日自己做了光禄寺小官，却是顾盼自雄，原来都是这一类的事。即如古今来多少杀人如麻的钦案，问其罪名，只是大不敬或大逆不道等几个字儿，全是空空洞洞的，当年却有许多活人死人因此处了各种极刑,想起来很是冤枉,不过在当时,大约除本人外没有不以为都是应该的吧。名号——文字的威力大到如此,实在可敬而且可畏了。文学呢,他是既不能令又不受命,它不能那么解脱,用了独一无二的表现法直截地发出来,却也不会这么刚勇,凭空抓了一个唵字塞住了人家的嗓子,再回不过气来,结果是东说西说,写成了四万八千卷的书册,只供闲人的翻阅罢了。

这是我对于文学——散文的苛刻而宽容的态度。我是这样想,自己也这样写,人家的这样看,现在也这样选。

中华民国二十四年八月二十四日,于北平。

(1935年作)

思想革命

近年来文学革命的运动渐见功效,除了几个讲"纲常名教"的经学家,同做"鸳鸯瓦冷"的诗余家以外,颇有人认为正当,在杂志及报章上面,常常看见用白话做的文章,白话在社会上的势力,日见盛大,这是很可乐观的事。

但我想文学这事物本合文字与思想两者而成,表现思想的文字不良,固然足以阻碍文学的发达,若思想本质不良,徒有文字,也有什么用处呢?我们反对古文,大半原为他晦涩难解,养成国民笼统的心思,使得表现力与理解力都不发达,但别一方面,实又因为他内中的思想荒谬,于人有害的缘故。这宗儒道合成的不自然的思想,寄寓在古文中间,几千年来,根深蒂固,没有经过廓清,所以这荒谬的思想与晦涩的古文,几乎已融合为一,不能分离。我们随手翻开古文一看,大抵总有一种荒谬思想出现。便是现代的人做一篇古文,既然免不了用几个古典熟语，那种荒谬思想已经渗进了文字里面去了，自然也随处出现。譬如署年月，因为民国的名称不古，写作"春王正月"固然有宗社党气味，写作"己未孟春"，又像遗老。如今废去古文，将这表现荒谬思想的专用器具撤去，也是一种有效的办法。但他们心里的思想，恐怕终于不能一时变过，将来老瘾发时，仍旧胡说乱道的写了出来，不过从前是用古文，此刻用了白话罢了。话虽容易懂了，思想却仍然荒谬，仍然有害。好比"君师主义"的人，穿上洋服，挂上维新的招牌，难道就能说实行民主政治？这单变文字不变思想的改革，也怎能算是文学革命的完全胜利呢？

中国怀着荒谬思想的人，虽然平时发表他的荒谬思想，必用所谓古文，不用白话，但他们嘴里原是无一不说白话的。所以如白话通行，而荒谬思想不去，仍然未可乐观，因为他们用从前做过《圣谕广训直解》的办法，也可以用了支离的白话来讲古怪的纲常名教。他们还讲三纲，却叫做"三条索子"，说"老子是儿子的索子，丈夫是妻子的索子"，又或仍讲复辟，却叫做"皇帝回任"。我们岂能因他们所说是白话，比那四六调或桐城派的古文更加看重呢？譬如有一篇提倡"皇帝回任"的白话文，和一篇"非复辟"的古文并放在一处，我们说那边好呢？我见中国许多淫书都用白话，因此想到白话前途的危险。中国人如不真是"洗心革面"的改悔,将旧有的荒谬思想弃去,无论用古文或白话文,都说不出好东西来。就是改学了德文或世界语,也未尝不可以拿来做"黑幕",讲忠孝节烈,发表他们的荒谬思想。倘若换汤不换药,单将白话换出古文,那便如上海书店的译《白话论语》,还不如不做的好。因为从前的荒谬思想,尚是寄寓在晦涩的古文中间,看了中毒的人,还是少数,若变成白话,便通行更广,流毒无穷了。所以我说,文学革命上,文字改革是第一步,思想改革是第二步,却比第一步更为重要。我们不可对于文字一方面过于乐观了,闲却了这一面的重大问题。

(八年三月)

(1919年作,选自《谈虎集》)

贵族的与平民的

关于文艺上贵族的与平民的精神这个问题,已经有许多人讨论过,大都以为平民的最好,贵族的是全坏的。我自己以前也是这样想,现在却觉得有点怀疑。变动而相连续的文艺,是否可以这样截然的划分;或者拿来代表一时代的趋势,未尝不可,但是可以这样显然的判出优劣么?我想这不免有点不妥,因为我们离开了实际的社会问题,只就文艺上说,贵族的与平民的精神,都是人的表现,不能指定谁是谁非,正如规律的普遍的古典精神与自由的特殊的传奇精神,虽似相反而实并存,没有消灭的时候。

人家说近代文学是平民的,十九世纪以前的文学是贵族的,虽然也是事实,但未免有点皮相。在文艺不能维持生活的时代,固然只有那些贵族或中产阶级才能去弄文学,但是推上去到了古代,却见文艺的初期又是平民的了。我们看见史诗的歌咏神人英雄的事迹，容易误解以为"歌功颂德"，是贵族文学的滥觞，其实他正是平民的文学的真鼎呢。所以拿了社会阶级上的贵族与平民这两个称号，照着本义移用到文学上来，想划分两种阶级的作品，当然是不可能的事。即使如我先前在《平民的文学》一篇文里，用普遍与真挚两个条件，去做区分平民的与贵族的文学的标准，也觉得不很妥当。我觉得古代的贵族文学里并不缺乏真挚的作品，而真挚的作品便自有普遍的可能性，不论思想与形式的如何。我现在的意见，以为在文艺上可以假定有贵族的与平民的这两种精神，但只是对于人生的两样态度，是人类共通的，并不专属于某一阶级，虽然他的分布最初与经济状况有关，这便是两个名称的来源。

平民的精神可以说是淑本好耳所说的求生意志，贵族的精神便是尼采所说的求胜意志了。前者是要求有限的平凡的存在，后者是要求无限的超越的发展；前者完全是入世的，后者却几乎有点出世的了。这些渺茫的话，我们倘引中国文学的例，略略比较，就可以得到具体的释解。中国汉晋六朝的诗歌，大家承认是贵族文学，元代的戏剧是平民文学。两者的差异，不仅在于一是用古文所写，一是用白话所写，也不在于一是士大夫所作，一是无名的人所作，乃是在于两者的人生观的不同。我们倘以历史的眼光看去，觉得这是国语文学发达的正轨，但是我们将这两者比较的读去，总觉得对于后者有一种漠然的不满足。这当然是因个人的气质而异，但我同我的朋友疑古君谈及，他也是这样感想。我们所不满足的，是这一代里平民文学的思想，大是现世的利禄的了，没有超越现代的精神；他们是认人生，只是太乐天了，就是对于现状太满意了。贵族阶级在社会上凭藉了自己的特殊权利，世间一切可能的幸福都得享受，更没有什么歆羡与留恋，因此引起一种超越的追求，在诗歌上的隐逸神仙的思想即是这样精神的表现。至于平民，于人们应得的生活的悦乐还不能得到，他的理想自然是限于这可望而不可即的贵族生活，此外更没有别的希冀，所以在文学上表现出来的是那些功名妻妾的团圆思想了。我并不想因此来判分那两种精神的优劣，因为求生意志原是人性的，只是这一种意志不能包括人生的全体，却也是自明的事实。

我不相信某一时代的某一倾向可以做文艺上永久的模范，但我相信真正的文学发达的时代必须多少含有贵族的精神。求生意志固然是生活的根据，但如没有求胜意志叫人努力的去求"全而善美"的生活，则适应的生存容易是退化的而非进化的了。人们赞美文艺上的平民的精神，却竭力的反对旧剧，其实旧剧正是平民文学的极峰，只因他的缺点太显露了，所以遭大家的攻击。贵族的精神走进歧路，要变成威廉第二的态度，当然也应该注意。我想文艺当以平民的精神为基调,再加以贵族的洗礼,这才能够造成真正的人的文学。倘若把社会上一时的阶级争斗硬移到艺术上来,要实行劳农专政,它的结果一定与经济政治上的相反,是一种退化的现象,旧剧就是它的一个影子。从文艺上说来,最好的事是平民的贵族化,凡人的超人化,因为凡人如不想化为超人,便要化为末人了。

(1922年作,选自《自己的园地》)

国粹与欧化

在《学衡》上的一篇文章里，梅光迪君说："实则模仿西人与模仿古人，其所模仿者不同，其为奴隶则一也。况彼等模仿西人，仅得糟粕，国人之模仿古人者，时多得其神髓乎。"我因此引起一种对于模仿与影响，国粹与欧化问题的感想。梅君以为模仿都是奴隶，但模仿而能得其神髓，也是可取的。我的意见则以为模仿都是奴隶，但影响却是可以的；国粹只是趣味的遗传，无所用其模仿，欧化是一种外缘，可以尽量的容受他的影响，当然不以模仿了事。

倘若国粹这一个词，不是单指那选学桐城的文章和纲常名教的思想，却包括国民性的全部，那么我所假定遗传这一个释名，觉得还没有什么不妥。我们主张尊重各人的个性，对于个性的综合的国民性自然一样尊重，而且很希望其在文艺上能够发展起来，造成有生命的国民文学。但是我们的尊重与希望无论怎样的深厚,也只能以听其自然长发为止,用不着多事的帮助,正如一颗小小的稻或麦的种子,里边原自含有长成一株稻或麦的能力,所需要的只是自然的养护,倘加以宋人的揠苗助长,便反不免要使它"则苗槁矣"了。我相信凡是受过教育的中国人,以不模仿什么人为唯一的条件,听凭他自发的用任何种的文字,写任何种的思想,他的结果仍是一篇"中国的"文艺作品,有他的特殊的个性与共通的国民性相并存在,虽然这上边可以有许多外来的影响。这样的国粹直沁进在我们的脑神经里,用不着保存,自然永久存在,也本不会消灭的,他只有一个敌人,便是"模仿"。模仿者成了人家的奴隶,只有主人的命令,更无自己的意志,于是国粹便跟了自性死了。好古家却以为保守国粹在于模仿古人,岂不是自相矛盾么?他们的错误,由于以选学桐城的文章,纲常名教的思想为国粹,因为这些都是一时的现象,不能永久的自然的附着于人心,所以要勉强的保存,便不得不以模仿为唯一的手段,奉模仿古人而能得其神髓者为文学正宗了。其实既然是模仿了,决不会再有"得其神髓"这一回事;创作的古人自有他的神髓,但模仿者的所得却只有皮毛,便是所谓糟粕。奴隶无论怎样的遵守主人的话,终于是一个奴隶而非主人,主人的神髓在于自主,而奴隶的本分在于服从,叫他怎样的去得呢?他想做主人,除了从不做奴隶入手以外，再没有别的方法了。

我们反对模仿古人，同时也就反对模仿西人，所反对的是一切的模仿，并不是有中外古今的区别与成见。模仿杜少陵或泰戈尔，模仿苏东坡或胡适之，都不是我们所赞成的，但是受他们的影响是可以的，也是有益的，这便是我对于欧化问题的态度。我们欢迎欧化是喜得有一种新空气，可以供我们的享用，造成新的活力，并不是注射到血管里去，就替代血液之用。向来有一种乡愿的调和说，主张中学为体西学为用，或者有人要疑我的反对模仿欢迎影响说和他有点相似，但其间有这一个差异：他们有一种国粹优胜的偏见，只在这条件之上才容纳若干无伤大体的改革，我却以遗传的国民性为素地，尽它本质上的可能的量去承受各方面的影响，使其融和沁透，合为一体，连续变化下去，造成一个永久而常新的国民性，正如人的遗传之逐代增入异分子而不失其根本的性格。譬如国语问题，在主张中学为体西学为用者的意见，大抵以废弃周秦古文而用今日之古文为最大的让步了；我的主张则就单音的汉字的本性上尽最大可能的限度，容纳"欧化"，增加他表现的力量，却也不强他所不能做到的事情。照这样看来，现在各派的国语改革运动都是在正轨上走着，或者还可以逼紧一步，只不必到"三株们的红们的牡丹花们"的地步：曲折语的语尾变化虽然是极便利，但在汉文的能力之外了。我们一面不赞成现代人的做骈文律诗，但也并不忽视国语中字义声音两重的对偶的可能性，觉得骈律的发达正是运命的必然，非全由于人为，所以国语文学的趋势虽然向着自由的发展，而这个自然的倾向也大可以利用，炼成音乐与色彩的言语，只要不以词害意就好了。总之我觉得国粹欧化之争是无用的，人不能改变本性，也不能拒绝外缘，到底非大胆的是认两面不可。倘若偏执一面，以为彻底，有如两个学者，一说诗也有本能，一说要"取消本能"，大家高论一番，聊以快意，其实有什么用呢？

（1922年作，选自《自己的园地》）

国语改造的意见

我于国语学不曾有什么研究,现在只就个人感想所及,关于国语改造的问题略略陈述我的意见。我的意见大略可以分作下列三项:一、国语问题之解决;二、国语改造之必要;三、改造之方法。

国语问题现在可以算是已经解决了,本来用不着再有什么讨论,但是大家赞成推行国语,却各有不同的理想,有的主张国语神圣,有的想以注音字母为过渡,换用罗马字拼音,随后再改别种言语。后者这种运动的起源还在十五六年以前,那时吴稚晖先生在巴黎发刊《新世纪》,在那上边提倡废去汉字改用万国新语(即现在所谓世界语的Esperanto),章太炎先生在东京办《民报》便竭力反对他,做了一篇很长的驳文,登在《民报》上,又印成单行的小册子分散;文中反对以世界语替代汉语,却赞成中国采用字母以便诵习,拟造五十八个字母附在后边，这便是现在的注音字母的始祖了。当时我们对于章先生的言论完全信服，觉得改变国语非但是不可能，实在是不应当的；过了十年，思想却又变更，以世界语为国语的问题重又兴盛，钱玄同先生在《新青年》上发表意见之后，一时引起许多争论，大家大约还都记得。但是到了近年再经思考，终于得到结论，觉得改变言语毕竟是不可能的事，国民要充分的表现自己的感情思想终以自己的国语为最适宜的工具。总结起来，光绪末年的主张是革命的复古思想的影响，民国六年的主张是洪宪及复辟事件的反动，现在的意见或者才是自己的真正的判断了。我现在仍然看重世界语，但只希望用它作为第二国语，至于第一国语仍然只能用那运命指定的或好或歹的祖遗的言语；我们对于它可以在可能的范围内加以修改或扩充，但根本上不能有所更张。埃及人之用亚剌伯语，满洲人之用汉语，实际上未尝没有改变国语的例，但他们自有特殊的情况，更加以长远的时间，才造成这个结果，倘若在平常的时地想人为的求成功，当然是不能达到的。一民族之运用其国语以表现情思，不仅是文字上的便利，还有思想上的便利更为重要：我们不但以汉语说话作文，并且以汉语思想，所以便用这言语去发表这思想，较为自然而且充分。至于言语的职分本来在乎自然而且充分的表现思想，能够如此，就可以说是适用了。但是我并不因此而赞成国语神圣的主张,我觉得我们虽然多少受着历史的遗传的束缚,但国语到底是我们国民利用的工具,不是崇拜的偶像。我所以为重要的并不是说民族系统上的固有国语,乃是指现在通行活用,在国民的想法语法上有遗传的影响者,所以汉语固然是汉族的国语,也一样的是满族的国语,因为他们采用了一二百年,早已具备了国语的种种条件与便利,不必再去复兴满语为国语了。使已死的古语复活,正如想改用别国语一样的困难而且不自然。倘以国语为神圣,便容易倾向于崇古或民族主义,一方面对于现在也多取保守的态度,难于改革以求适用。因此我承认现在通用的汉语是国民适用的唯一的国语,但欲求其能副这个重大的责任,同时须有改造的必要。

中国以前用古文,这也是国语,不过是古人的言语,现在没有人说的罢了。思想自思想,文字自文字,写出来的时候中间须经过一道转译的手续,因此不能把想要说的话直捷的恰好的达出,这是文言的一个致命伤。文言因为不是活用着的言语,单靠古人的几篇作品做模范,所以成为一套印版似的格式,作文的人将思想去就文章,不能用文章去就思想,从前传说有许多科甲出身的人不能写一封通畅的家信,的确并不是笑话,便是查考现在学校的国文成绩也差不多都是如此。改用国语教授当然可以没有这个弊病了,但是现在的简单的国语,就已足用,能应表现复杂微密的思想之需要了么?这是一个疑问。目下关于国语的标准问题,大家颇有争论,京音国音之争大约已可解决,但是国语的本身问题却还未确定;有的主张以明清小说的文章为主,有的主张以现代民间的言语为主:这两说虽然也有理由,却都不免稍偏于保守,太贪图容易了。明清小说里原有好的文学作品,而且又是国语运动以前的国语著作,特别觉得有价值,然而他们毕竟只是我们所需要的国语的资料,不能作为标准。区区二三百年的时日,未必便是通行的障碍,其最大的缺点却在于文体的单调。大家都知道文章的形式与内容是极有关系的,韵文与散文的界限无论如何变换,抒情的诗与叙事的赋这两种性质总是很明显的,在外形上也就有这分别。明清小说专是叙事的,即使在这一方面有了完全的成就,也还不能包括全体;我们于叙事以外还需要抒情与说理的文字,这便非是明清小说所能供给的了。其次,现代民间的言语当然是国语的基本,但也不能就此满足,必须更加以改造,才能适应现代的要求。常见有许多人反对现在的白话文,以为过于高深复杂,不过"之"改为"的","乎"改为"么",民众仍旧不能了解。现在的白话文诚然是不能满足,但其缺点乃是在于还未完善,还欠高深复杂,而并非过于高深复杂。我们对于国语的希望，是在他的能力范围内，尽量的使他化为高深复杂，足以表现一切高上精微的感情与思想，作艺术学问的工具，一方面再依这个标准去教育，使最大多数的国民能够理解及运用这国语，作他们各自相当的事业。或者以为提倡国语乃是专在普及而不在提高，是准了现在大多数的民众智识的程度去定国语的形式的内容，正如光绪中间的所谓白话运动一样，那未免是大错了。那时的白话运动是主张知识阶级仍用古文，专以白话供给不懂古文的民众；现在的国语运动却主张国民全体都用国语，因为国语的作用并不限于供给民众以浅近的教训与知识，还要以此为建设文化之用，当然非求完备不可，不能因陋就简的即为满足了。我们决不看轻民间的言语，以为粗俗，但是言词贫弱，组织单纯，不能叙复杂的事实，抒微妙的情思，这是无可讳言的。民间的歌谣自有其特殊的价值，但这缺点也仍是显著，我曾在《中国民歌的价值》（见《学艺》第二卷）一篇短文里说过，"久被蔑视的俗语，未经文艺上的运用，便缺乏细腻的表现力，以致变成那种幼稚的文体，而且将意思也连累了。……所以我要说明，中国情歌的坏处，大半由于文词的关系。"民间的俗语，正如明清小说的白话一样，是现代国语的资料，是其分子而非全体。现代国语须是合古今中外的分子融和而成的一种中国语。

想建设这种现代的国语,须得就通用的普通语上加以改造,大约有这几个重要的项目,可以注意。

一、采纳古语。现在的普通语虽然暂时可以勉强应用,但实际上言词还是很感缺乏,非竭力的使他丰富起来不可。这个补充方法虽有数端,第一条便是采纳古语。无理的使不必要的古语复活,常会变成笑柄,如希腊本了革命的复古精神,驱逐外来语,以古文字代之,以至雅俗语重复存在,反为不便,学生在家吃面包(Psōmion)而在学校须读作别物(Artos系古文)。但这是俗语已有而又加入古语,以致重出,倘若俗语本缺而以古语补充,便没有什么问题了。中国白话中所缺的大约不是名词等,乃是形容词助动词一类以及助词虚字,如寂寞,朦胧,蕴藉,幼稚等字都缺少适当的俗语,便应直截的采用;然而,至于,关于,况且,岂不,而等字,平常在"斯文"人口里也已用惯,本来不成问题,此外"之"字替代"的"字以示区别,"者"替代作名词用的"的"字,"也"字用在注解里,都可以用的。总之只要是必要,而没有简单的复古的意义,便不妨尽量的用进去,即使因此在表面上国语与民间的俗语之距离愈益增加,也不足为意,因为目下求国语丰富适用是第一义,只要能够如此,日后国语教育普及,这个距离自然会缩短而至于无,补充的古语都化为通行的新熟语,更分不出区别来了。但是我虽不赞成古今语的重出，对于通行的同意语，却以为应当听其并存，不必强为统一，譬如疾病，毛病，病痛这三个字，意义虽然一样，其色度略有差异，足以供行文时的选择；不过这也只以通行者为限，若从字典广部里再去取出许多不认得的同意语来，那又是好古太过，不足为训的了。

二、采纳方言。有许多名物动作等言词，在普通白话中不完备而方言里独具者，应该一律收入，但也当以必要为限。国语中本有此语，唯方言特具有历史的或文艺的意味的，亦可以收录于字典中，以备查考或选用，此外不必过于博采，只听其流行于一地方就是了。方言里的熟语颇有言简意赅的，如江南的"像煞有介事"，早已有人用进文章里去，或者主张正式的录为国语，这固然没有什么不可，不过注音上略为困难，因为用国音读便不成话，大抵只能仍用原音注读才行。至于这些熟语的运用，当然极应注意，正如古奥的故典一般，必须用得恰好，才发生正当的效力，不然反容易毁坏文章的全体风格，在初学者尤非谨慎不可。

三、采纳新名词，及语法的严密化。新名词的增加在中国本是历来常有的事，如唐以前的佛教，清末的欧化都输入许多新名词到中国语里来，现在只须继续进行，创造未曾有过的新语,一面对于旧有的略加以厘订,因为有许多未免太拙笨单调了,应当改良才好。譬如石油普通称作洋油,似不如改称煤油或石油,洋灯也可以改作石油灯,洋火改作火柴,定为国语,旧称不妨听其以方言的资格而存在。中国以前定名多过于草率,往往用一"洋"字去笼罩一切,毫无创造的新味,日常或者可以勉强应用,在统一的文学的国语上便不适宜了。此外艺术学问上的言词,尽了需要可以尽量的采纳,当初各任自由的使用,随后酌量收录二三个同意语,以便选择,不必取统一的方针。但是最重要的还是在于语法的严密化,因为没有这一个改革,那上边三层办法的效果还是极微,或者是直等于零的。这件事普通称作国语的欧化问题,近年来颇引起一部分人的讨论,虽然不能得到具体的结论,但大抵都已感到这个运动的必要,不过细目上还有多少应该讨论的地方罢了。因为欧化这两个字容易引起误会,所以常有反对的论调,其实系不同的言语本来决不能同化的,现在所谓欧化实际上不过是根据国语的性质,使语法组织趋于严密,意思益以明了而确切,适于实用。中国语没有语尾变化,有许多结构当然不能与曲折语系的欧文相同,但是根柢上的文法原则总是一样,没有东西之分。我们所主张者就是在这一点上。国语大体上颇有与英文相似之处,品词解说不很重要,其最要紧的事件却在词句之分析,审定各个的地位与相互的关系,这在阅读或写作时都是必要,否则只能笼统的得一个大意,没有深切显明的印象。普通有许多新文章,其中尤以翻译为甚,罗列着许多字样,表面上成为一句文句,而细加寻绎,不能理会其中的意思。这大约可以寻出两个理由来,其一是无文法的杂乱,其二是过于文法的杂乱;一是荒弃文法,以致词不达意,一是拘泥文法,便是滥用外国的习惯程式,以致出国语能力以外,等于无意义,这种过与不及的办法都是很应纠正的。我们的理想是在国语能力的范围内,以现代语为主,采纳古代的以及外国的分子,使他丰富柔软,能够表现大概感情思想,至于现在已不通用的古代句法如"未之有也",或直抄的外国式句法如"我不如想明从意念中"(见诗集《红蔷薇》),都不应加入。如能这样的做去,国语渐益丰美,语法也益精密,庶几可以适应现代的要求了。

关于实行的办法,我想应当分三方面去进行,这本来略有先后,但在现今也不妨同时并进,各自去做。

一、从国语学家方面,编著完备的语法修辞学与字典。字典应打破旧例,以词为单位,又须包含两部,甲以汉字分部,从文字去求音训,乙以注音字母分部,从音去求字训。这种事业最好是由"国语统一筹备会"等机关去担任,不过编纂及印刷的经费也是一种问题;目下不能希望有完成大著出现,但是这方面创始的工作实是刻不容缓了。

二、从文学家方面,独立的开拓,使国语因文艺的运用而渐臻完善,足供语法字典的资料,且因此而国语的价值与势力也始能增重。此外文艺学术的研究评论之文,无论著译,亦于国语发达大有帮助,因为语法之应如何欧化,如何始适于表现这些高深的事理,都须经过试验才有标准,否则不曾知道此中甘苦,随意的赞成或反对,无一是处。

三、从教育家方面,实际的在中小学建立国语的基本。我的意见以为国语教育的目的,当在使学生人人能以国语自由的表现自己的意思,能懂普通古文,看古代的书。小学以国语为主,中学可以并进,不应偏于一面。国语学得很好,而古文一点不懂的人,现在还未曾见过,但是念形式的古文而不懂古书的意义,写形式的古文而不能抒自己的胸臆的人,在中学毕业生中却是多有,据升学试验的约略的统计,总有百分之八十。这便是以前偏重古文的流弊,至今还未能除去,所以国语教育的工具与材料现在虽然还未足用,但是治标的一种改革却也是必要了。以前的教国文是道德教育的一种变相,所教给学生的东西是纲常名分,不是语言文字,现在应当大加改变,认定国语教育只是国语教育,所教给学生的是怎样表现自己的和理解别人的意思,这是唯一的目的,其余的好处都是附属的。在国语字典和语法还没有一部出版的今日，教育家的困难是可以想见的，但是正因为是青黄不接的时代，教育家的责任也更为重大，不得不勉为其难，兼做国语学家一部分的事业，一面直接应用在教育上，一面也就间接的帮助国语改造的早日完成了。

我于国语学不是专门研究，所以现在所说的很是粗浅，只是供献个人的意见罢了。我对于国语的各方面问题的意见，是以"便利"为一切的根据。为便利计，国民应当用现代国语表现自己的意思，凡复兴古文或改用外国语等的计画都是不行的，这些计画如用强迫也未始不可实现，但我觉得没有这个必要，因为成效还很可疑，牺牲却是过大了。为便利计，现在中国需要一种国语，尽他能力的范围内，容纳古今中外的分子，成为言词充足，语法精密的言文，可以应现代的实用。总之我们只求实际上的便利，一切的方法都从这一点出来，此外别无什么理论的限制。照理想说来，我们也希望世界大同，有今天下书同文的一天，但老实说这原来只是理想，若在事实上则统一的万国语之下必然自有各系的国语，正如统一的国语之下必然仍有各地的方言一样；将来的解决方法，只须国民于方言以外必习国语，各国民于国语以外再习万国语，理想便可达到，而于实行上也没有什么障碍，因为我相信普通的中国人于方言外学习国语，于国语外学习万国语（或一种别的外国语），并不是什么难事。——不过这第一要是普通人，不是异常，多少低能的人，第二要合法的学习才好；这都是很重大的问题，要等候专门学者的研究与指示了。

（一九二二年）

（1922年作，选自《艺术与生活》）

国语文学谈

近年来国语文学的呼声很是热闹，就是国语文学史也曾见过两册，但国语文学到底是怎么一回事我终于没有能够明了。国语文学自然是国语所写的文学了，国语普通又多当作白话解，所以大家提起国语文学便联想到白话文，凡非白话文即非国语文学，然而一方面界限仍不能划得这样严整，照寻常说法应该算是文言的东西里边也不少好文章，有点舍不得，于是硬把它拉过来，说它本来是白话；这样一来，国语文学的界限实在弄得有点胡涂，令我觉得莫名其妙。据我的愚见这原是简单不过的一件事，国语文学就是华语所写的一切文章，上自典谟，下至滩簧，古如尧舜（姑且这样说），今到郁达夫，都包括在内，他们的好坏优劣则是别一问题，须由批评家文学史家去另行估价决定。我相信所谓古文与白话文都是华语的一种文章语，并不是绝对地不同的东西：他们今昔的相互的关系仿佛与满洲及中国间的关系相似。以前文言的皇帝专制，白话军出来反抗，在交战状态时当然认他为敌，不惜用尽方法去攻击他，但是后来皇帝倒了，民国成立，那废帝的族类当然还他本来面目，成为五族之一，是国民的一部分，从前在檄文上称我汉族光复旧物的人此刻也自然改变口气，应称我中华国民了。五四前后，古文还坐着正统宝位的时候，我们的恶骂力攻都是对的，到了已经逊位列入齐民，如还是不承认他是华语文学的一分子，正如中华民国人民还说满洲一族是别国人，承认那以前住在紫禁城里的是他们的皇上，这未免有点错误了。我常说国语文学，只是汉文学的新名称，包含所有以汉文写出的文学连八股文试帖诗都在里边，因为他们实在是一种特别文体的代表作品，虽然文艺的价值自然没有什么。近来日本京大教授铃木虎雄博士刊行一册《支那文学研究》，除诗文戏曲小说之外还有八股文一编，专论这种文体，可谓先得我心，不过我还没有见到这部书，不能确说他是如何说法的。

我相信古文与白话文都是汉文的一种文章语，他们的差异大部分是文体的，文字与文法只是小部分。中国现在还有好些人以为纯用老百姓的白话可以作文，我不敢附和。我想一国里当然只应有一种国语，但可以也是应当有两种语体，一是口语，一是文章语，口语是普通说话用的，为一般人民所共喻；文章语是写文章用的，须得有相当教养的人才能了解，这当然全以口语为基本，但是用字更丰富，组织更精密，使其适于表现复杂的思想感情之用，这在一般的日用口语是不胜任的。两者的发达是平行并进，文章语虽含有不少的从古文或外来语转来的文句，但根本的结构是跟着口语的发展而定，故能长保其生命与活力。虽然没有确实的例证，我推想古文的发生也是如此，不过因为中途有人立下正宗的标准，一味以保守模拟为务，于是乱了步骤，口语虽在活动前进，文章语却归于停顿，成为硬冷的化石了。所以讲国语文学的人不能对于古文有所歧视，因为他是古代的文章语，是现代文章语的先人，虽然中间世系有点断缺了，这个系属与趋势总还是暗地里接续着，白话文学的流派决不是与古文对抗从别个源头发生出来的。我们看见有许多民间文学的存在，但这实是原始文学的遗留与复活，讲到系统乃是一切文学的长辈，并不是如大家所想的那样是为革贵族文学之命而崛起的群众。我们要表现自己的意思，所以必当弃模拟古文而用独创的白话，但同时也不能不承认这个事实，把古文请进国语文学里来，改正以前关于国语文学的谬误观念。

我们承认了古文在国语文学里的地位，这只是当然的待遇，并不一定有什么推重他的意思，古文作品中之缺少很有价值的东西已是一件不可动移的事实。其理由可以有种种不同的说法，但我相信这未必是由于古文是死的，是贵族的文学。我们翻开字典来看，上面的确有许多不但不懂它的意义连音都读不出的古字，这些确是死字废语了，但古文却并不是专用这种字凑成的，它们所用的字有十之八九是很普通，在白话中也是常用的字面，你说它死，它实在是还活着的，不过经作者特别这么的一安排，成功了一个异样的形式罢了。或者有人说所谓死的就是那形式——文体，但是同一形式的东西也不是没有好的，有些东西很为大家所爱，这样舍不得地爱，至于硬说它是古白话，收入（狭义的）国语文学史里去了。那么这种文体也似乎还有一口气。至于说贵族与平民，只在社会制度上才有好坏之可言，若思想精神上之贵族的与平民的，完全是别一回事，不能这样简单地一句话来断定他的优劣。我在这里又有一个愚见，觉得要说明古文之所以缺乏文学价值，应当从别一方面着眼，这便是古文的模拟的毛病。大家知道文学的重要目的是在表现自己的思想感情，各人的思想感情各自不同，自不得不用独特的文体与方法，曲折写出，使与其所蕴怀者近似，而古文则重在模拟，这便是文学的致命伤，尽够使作者的劳力归于空虚了。模拟本来并非绝对不行的事，在初学者第一步自然是只好模拟，但应当及时停止，去自辟涂径才行，正如小儿学语，句句都是模仿大人的话，等到大略知道，便能自由运用，联合若干习得的文句，组成一句新鲜独立的话，表示自己的意思，倘若到了少年，还是一味仿效老太爷的口气，如八哥学舌一般，那就是十足的低能儿，大家都要笑他了。你或者要问，既然如此，作不模拟的古文岂不就好了么？这自然是对的。但我不知道有没有这样的古文，倘若你能创造出一种新古文体出来，那么也大可以做，不过至少我自己实在没有这样自信，还只是做做我的白话文罢。

上文所说的古文的毛病如若是不错的，我还有一句话想警告做白话文的朋友们。请诸位紧防模拟。模拟这个微生物是不仅长在古文里面的，它也会传染到白话文上去。白话文的生命是在独创，并不在它是活的或平民的，一传染上模拟病也就没了它的命了。模仿杜子美或胡适之，模仿柳子厚或徐志摩，都是一样的毛病。近来新文学界发生了这种病没有，我不知道，只由于一片老婆心，姑预先警告一声罢咧。

我洗手学为善士，不谈文学，摘下招牌，已二年于兹矣。伏园嘱我为纪念增刊作文，豫约已阅月余，终于想不出题材，不得已攘臂下车，写了这一篇，既可笑矣，而所说的话又都只是极平凡的常谈,更无谓了:伏园读之得无亦将立而"笑我"乎?十四年,基督生日。

(1925年作,选自《艺术与生活》)

谈策论

自从吴稚晖先生提出土八股洋八股的名称以来，大家一直沿用，不曾发生过疑问，因为这两种东西确实存在，现在给他分类正名，觉得更是明了了。但是我有时不免心里纳闷，这两个名称虽好，究竟还是诨名，他们的真姓名该是什么。土八股我知道即是经义，以做成散文赋似的八对股得名，可是洋八股呢，这在中国旧名词里叫做什么的呢？无意之中，忽然想到，真是——踏破铁鞋无觅处，得来全不费功夫，原来这洋八股的本名就只是策论。顶好的证据是，前清从前考试取士用八股文，后来维新了要讲洋务的时候改用策论，二者同是制艺或功令文，而有新旧之别，亦即是土洋之异矣。不过这个证据还是随后想到的，最初使我得到这新发现的是别人的偶然一句闲话。我翻阅冯班的《钝吟杂录》，卷一《家戒》上有一则，其上半云：

"士人读书学古，不免要作文字，切忌勿作论。成败得失，古人自有成论，假令有所不合，阙之可也，古人远矣，目前之事犹有不审，况在百世之下而欲悬定其是非乎。"何义门评注云，"此亦名言。"此其所以为名言据我想是在于教人切勿作论。做策论的弊病我也从这里悟出来，这才了解了与现代洋八股的关系。同是功令文，但做八股文使人庸腐，做策论则使人谬妄，其一重在模拟服从，其一则重在胡说乱道也。专做八股文的结果只学会按谱填词，应拍起舞，里边全没有思想，其做八股文而能胡说乱道者仍靠兼做策论之力也。八股文的题目只出在经书里，重要的实在还只是四书，策论范围便很大了，历史政治伦理哲学玄学是一类，经济兵制水利地理天文等是一类，一个人那里能够知道得这许多，于是只好以不知为知，后来也就居然自以为知，胡说乱道之后继以误国殃民，那些对空策的把"可得而言钦"改做"可得而言也"去缴卷，还只庸腐而已，比较起来无妨从轻发落。《钝吟》上边所说单是史论一种，弊病已经很大，或者这本来是策论中顶重要的一种也未可知。我们小时候学做管仲论汉高祖论，专门练习舞文弄墨的勾当，对于古代的事情胡乱说惯了，对于现在的事情也那么他说，那就很糟糕了。洋八股的害处并不在他的无聊瞎说，乃是在于这会变成公论。《朱子语类》中有云：

"秀才好论事，朝廷才做一事，哄哄地哄过了又只休，凡事皆然。"又云：

"真能者未必能言，文士虽未必能，却口中说得，笔下写得，足以动人听闻，多至败事。"可见宋朝已是如此，但是时代远了，且按下不表，还是来引近时的例吧。"芦泾遁士"原是清季浙西名士，今尚健在，于光绪甲午乙未之际著《求己录》三卷，盖取孟子祸福无不自己求之之意，其卷下言公论难从节下有论曰：

"士大夫平日未尝精究义理，所论虽自谓不偏，断难悉合于正，如《左传》所引君子曰及马班诸史毁誉褒贬，名为公论，大半杂以偏见，故公论实不可凭。……夫因循坐误，时不再来，政事有急宜更张者，乃或徇公论而姑待之，一姑待而机不再来矣。百病婴身，岂容斗力，用兵有明知必败者，乃竟畏公论而姑试之，一姑试而事不可救矣。济济公卿，罕读《大学》知止之义，胸无定见，一念回护，一念徇俗，甚至涕泣彷徨，终不敢毅然负谤，早挽狂澜，而乘艰危之来巧盗虚名者，其心尤不胜诛。"注中又有云：

"山左米协麟有言，今日之正言谠论皆三十年后之梦呓笑谈。"自乙未到现在已整四十年了，不知今昔之感当何如，米君的意见似犹近于乐观也。《求己录》下卷中陶君的高见尚多，今不能多引。读书人以为自己无所不知，又反正只是口头笔下用力，无妨说个痛快，此或者亦是人情，然而误事不少矣。古人云，耕当问奴，织当问婢，此即是孔子说吾不如老农老圃之意。何况打仗，这只好问军事专家了，而书生至今好谈兵，盖是秀才的脾气，朱晦庵原也是知道了的。我听说山西有高小毕业会考，国文试题曰《明耻教战论》，又北平有大学招考新生，国文试题曰《国防策》。这是道地的洋八股，也是策论的正宗，这样下去大约哄哄地攘臂谈天下事的秀才是不会绝迹的，虽然我们所需要的专门知识与一般常识之养成是很不容易希望做到。

中国向来有几部书我以为很是有害，即《春秋》与《通鉴纲目》，《东莱博议》与胡致堂的《读史管见》，此外是《古文观止》。孔子作《春秋》而乱臣贼子惧，本是一句谎话，朱子又来他一个续编，后世文人作文便以笔削自任，俨然有判官气象，《博议》《管见》乃是判例，《观止》则各式词状也。这样养成的文章思想便是洋八股，其实它还是真正国货，称之曰洋未免冤枉。这种东西不见得比八股文好，势力却更大，生命也更强，因为八股文只寄托在科举上，科举停了也就了结，策论则到处生根，不但不易拔除，且有愈益繁荣之势。它的根便长在中国人的秀才气质上，这叫人家如何能拔乎。我对于洋

八股也只能随便谈谈,实在想不出法子奈何他,盖欲木之茂者必先培其本根,而此则本根甚固也。(廿五年一月)

(1936年作,选自《风雨谈》)

汉文学的传统

这里所谓汉文学,平常说起来就是中国文学,但是我觉得用在这里中国文学未免意思太广阔,所以改用这个名称。中国文学应该包含中国人所有各样文学活动,而汉文学则限于用汉文所写的,这是我所想定的区别,虽然外国人的著作不算在内。中国人固以汉族为大宗,但其中也不少南蛮北狄的分子,此外又有满蒙回各族,而加在中国人这团体里,用汉文写作,便自然融合在一个大潮流之中,此即是汉文学之传统,至今没有什么变动。要讨论这问题不是容易事,非微力所能及,这里不过就想到的一两点略为陈述,聊贡其一得之愚耳。

这里第一点是思想。平常听人议论东方文化如何,中国国民性如何,总觉得可笑,说得好不过我田引水,否则是皂隶传话,尤不堪闻。若是拿专司破坏的飞机潜艇与大乘佛教相比,当然显得大不相同,但是查究科学文明的根源到了希腊,他自有其高深的文教，并不亚于中国，即在西洋也尚存有基督教，实在是东方的出品，所以东西的辩论只可作为政治宗教之争的资料，我们没有关系的人无须去理会他，至于国民性本来似乎有这东西，可是也极不容易把握得住。说得细微一点，衣食住方法不同于性格上便可有很大差别，如吃饭与吃面包，即有用筷子与用刀叉之异，同时也可以说是用毛笔与铁笔不同的原因，这在文化上自然就很有些特异的表现。但如说得远大一点，人性总是一样的，无论怎么特殊，难道真有好死恶生的民族么？抓住一种国民，说他有好些拂人之性的地方，不管主意是好或是坏，结果只是领了题目做文章的八股老调罢了，看穿了是不值一笑的。我说汉文学的传统中的思想，恐怕会被误会也是那赋得式的理论，所以岔开去讲了些闲话，其实我的意思是极平凡的，只想说明汉文学里所有的中国思想是一种常识的，实际的，姑称之曰人生主义，这实即古来的儒家思想。后世的儒教徒一面加重法家的成分，讲名教则专为强者保障权利，一面又接受佛教的影响，谈性理则走入玄学里去，两者合起来成为儒家衰微的缘因。但是我想原来当不是如此的。《孟子》卷四《离娄下》有一节云：

"禹稷当平世，三过其门而不入，孔子贤之。颜子当乱世，居于陋巷，一箪食，一瓢饮，人不堪其忧，颜子不改其乐，孔子贤之。孟子曰，禹稷颜回同道。禹思天下有溺者，由己溺之也，稷思天下有饥者，由己饥之也，是以如是其急也。禹稷颜子易地则皆然。今有同室之人斗者，救之，虽被发缨冠而救之，可也。乡邻有斗者，被发缨冠而往救之，则惑也，虽闭户可也。"末了的譬喻有点不合事理，但上面禹稷颜回并列，却很可见儒家的本色。我想他们最高的理想该是禹稷，但是儒家到底是懦弱的，这理想不知何时让给了墨者，另外排上了一个颜子，成为闭户亦可的态度，以平世乱世同室乡邻为解释，其实颜回虽居陋巷，也要问为邦等事，并不是怎么消极的。再说就是消极，只是觉得不能利人罢了，也不会如后世"酷儒莠书"那么至于损人吧。焦里堂著《易余龠录》卷十二有一则云：

"先君子尝曰，人生不过饮食男女，非饮食无以生，非男女无以生生。唯我欲生，人亦欲生，我欲生生，人亦欲生生，孟子好货好色之说尽之矣。不必屏去我之所生，我之所生生，但不可忘人之所生，人之所生生。循学《易》三十年，乃知先人此言圣人不易。"此真是粹然儒者之言，意思至浅近，却亦以是就极深远，是我所谓常识，故亦即真理也。刘继庄著《广阳杂记》卷二云：

"余观世之小人未有不好唱歌看戏者，此性天中之《诗》

与《乐》也，未有不看小说听说书者，此性天中之《书》与《春秋》也，未有不信占卜祀鬼神者，此性天中之《易》与《礼》也。圣人六经之教原本人情，而后之儒者乃不能因其势而利导之，百计禁止遏抑，务以成周之刍狗茅塞人心，是何异壅川使之不流，无怪其决裂溃败也。夫今之儒者之心为刍狗之所塞也久矣，而以天下大器使之为之，爰以图治，不亦难乎。"案《淮南子·泰族训》中云：

"民有好色之性，故有大婚之礼，有饮食之性，故有大飨之谊，有喜乐之性，故有钟鼓管弦之音，有悲哀之性，故有衰绖哭踊之节。故先王之制法也，因民之所好而为之节文者也。"古人亦已言之，刘君却是说得更有意思。由是可知先贤制礼定法全是为人，不但推己及人，还体贴人家的意思，故能通达人情物理，恕而且忠，此其所以为一贯之道欤。章太炎先生著《菿汉微言》中云：

"仲尼以一贯为道为学，贯之者何，只忠恕耳。诸言絜矩之道，言推己及人者，于恕则已尽矣。人食五谷，麋鹿食荐，即且甘带，鸱鸦嗜鼠，所好未必同也，虽同在人伦，所好高下亦有种种殊异，徒知絜矩，谓以人之所好与之，不知适以所恶与之，是非至忠焉能使人得职耶。尽忠恕者是唯庄生能之：所云齐物即忠恕两举者也。二程不悟，乃云佛法厌弃己身，而以头目脑髓与人，是以己所不欲施人也，诚如是者，鲁养爰居，必以太牢九韶耶。以法施人，恕之事也，以财及无畏施人，忠之事也。"用现在的话来说，恕是用主观，忠是用客观的，忠恕两举则人己皆尽，诚可称之曰圣，为儒家之理想矣。此种精神正是世界共通文化的基本分子，中国人分得一点，不能就独占了，以为了不得，但总之是差强人意的事，应该知道珍重的罢。我常自称是儒家，为朋友们所笑，实在我是佩服这种思想，平常而实在，看来毫不新奇，却有很大好处，正好比空气与水，我觉得这比较昔人所说布帛菽粟还要近似。中国人能保有此精神，自己固然也站得住，一面也就与世界共通文化血脉相通，有生存于世界上的坚强的根据，对于这事我倒是还有点乐观的，儒家思想既为我们所自有，有如树根深存于地下，即使暂时衰萎，也还可以生长起来，只要没有外面的妨害，或是迫压，或是助长。你说起儒家，中国是不会有什么迫压出现的，但是助长则难免，而其害处尤为重大，不可不知。我常想孔子的思想在中国是不会得绝的，因为孔于生于中国，中国人都与他同系统，容易发生同样的倾向，程度自然有深浅之不同，总之无疑是一路的。所以有些老辈的忧虑实是杞忧，我只怕的是儒教徒的起哄，前面说过的师爷化的酷儒与禅和子化的玄儒都起来，供着孔夫子的牌位大做其新运动，就是助长之一，结果是无益有损，至少苗则槁矣了。对于别国文化的研究也是同样，只要是自发的，无论怎么慢慢的，总是在前进，假如有了别的情形，或者表面上成了一种流行，实际反是僵化了，我想如要恢复到原来状态，估计最少须得五十年工夫。说到这里，我觉得上边好些不得要领的话现在可以结束起来了。汉文学里的思想我相信是一种儒家的人文主义（Humanism），在民间也未必没有，不过现在只就汉文的直接范围内说而已。这自然是很好的东西，希望他在现代也仍强健，成为文艺思想的主流，但是同时却并无一毫提倡的意思，因为我深知凡有助长于一切事物都是有害的。为人生的文学如被误解了，便会变为流氓的口气或是慈善老太太的态度，二者同样不成东西，可以为鉴。俞理初著《癸巳存稿》卷四有文题曰《女》，中引《庄子·天道篇》数语，读了很觉得喜欢，因查原书具抄于此云：

"昔者舜问于尧曰，天王之用心何如？尧曰：吾不敖无告，不废穷民，苦死者，嘉孺子而哀妇人，此吾所以用心已。"此与禹稷的意思正是一样，文人虽然比不得古圣先王，空言也是无补，但能如此用心，庶几无愧多少年读书作文耳。

还有第二点应当说，这便是文章。但是上边讲了些废话，弄得头重脚轻，这里只好不管，简单的说几句了事。汉文学是用汉字所写的，那么我们对于汉字不可不予以注意。中国话虽然说是单音，假如一直从头用了别的字母写了，自然也不成问题，现在既是写了汉字，我想恐怕没法更换，还是要利用下去。《尚书》实在太是古奥了，不知怎的觉得与后世文体很有距离，暂且搁在一边不表，再看《诗》与《易》，《左传》与《孟子》，便可见有两路写法，就是现在所谓选学与桐城这两派的先祖，我们各人尽可以有赞成不赞成，总之这都不是偶然的，用时式话说即是他自有其必然性也。从前我在《论八股文》的一篇小文里曾说，"汉字这东西与天下的一切文字不同，连日本朝鲜在内。他有所谓六书，所以有象形会意，有偏旁，有所谓四声，所以有平仄。从这里，必然地生出好些文章上的把戏。"这里除重对偶的骈体，讲腔调的古文外，还有许多雅俗不同的玩艺儿，例如对联，诗钟，灯谜，是雅的一面，急口令，笑话，以至拆字，要归到俗的一面去了，可是其生命同样的建立在汉字上，那是很明显的。我们自己可以不做或不会做诗钟之类，可是不能无视他的存在和势力，这会向不同的方面出来，用了不同的形式。近几年来大家改了写白话文，仿佛是变换了一个局面，其实还是用的汉字，仍旧变不到哪里去。而且变的一点里因革又不一定合宜，很值得一番注意。白话文运动可以说是反对"选学妖孽桐城谬种"而起来的，讲到结果则妖孽是走掉了，而谬种却依然流传着，不必多所拉扯，只看洋八股这名称，即是确证。盖白话文是散文中之最散体的，难以容得骈偶的辞或句，但腔调还是用得着，因了题目与著者的不同，可以把桐城派或八大家，《古文观止》或《东莱博议》应用上去，结果并没有比从前能够改好得多少。据我看来，这因革实在有点儿弄颠倒了。我以为我们现在写文章重要的还是努力减少那腔调病，与制艺策论愈远愈好，至于骈偶倒不妨设法利用，因为白话文的语汇少欠丰富，句法也易陷于单调，从汉字的特质上去找出一点妆饰性来，如能用得适合，或者能使营养不良的文章增点血色，亦未可知。不过这里的难问题是在于怎样应用，我自己还不能说出办法来，不知道敏感的新诗人关于此点有否注意过，可惜一时无从查问。但是我总自以为这意见是对的，假如能够将骈文的精华应用一点到白话文里去，我们一定可以写出比现在更好的文章来。我又恐怕这种意思近于阿芙蓉，虽然有治病的效力，乱吸了便中毒上瘾，不是玩耍的事。上边所说思想一层也并不是没有同样的危险。我近来常感到，天下最平常实在的事往往近于新奇，同时也容易有危险气味，芥川氏有言，危险思想者，欲将常识施诸实行之思想是也，岂不信哉？廿九年三月廿七日。

（1940年作，选自《药堂杂文》）

中国的思想问题

中国的思想问题，这是一个重大的问题，但是重大，却并不严重。本人平常对于一切事不轻易乐观，唯独对于中国的思想问题却颇为乐观，觉得在这里前途是很有希望的。中国近来思想界的确有点混乱，但这只是表面一时的现象，若是往远处深处看去，中国人的思想本来是很健全的，有这样的根本基础在那里，只要好好的培养下去，必能发生滋长，从这健全的思想上造成健全的国民出来。

这中国固有的思想是什么呢？有人以为中国向来缺少中心思想，苦心的想给他新定一个出来，这事很难，当然不能成功，据我想也是可不必的，因为中国的中心思想本来存在，差不多几千年来没有什么改变。简单的一句话说，这就是儒家思想。可是，这又不能说得太简单了，盖在没有儒这名称之前，此思想已经成立，而在士人已以八股为专业之后也还标榜儒名，单说儒家，难免淆混不清，所以这里须得再申明之云，此乃是以孔孟为代表，禹稷为模范的那儒家思想。举实例来说最易明了，孟子卷四《离娄》下云：

"禹稷当平世，三过其门而不入，孔子贤之。颜子当乱世，居于陋巷，一箪食，一瓢饮，人不堪其忧，颜子不改其乐，孔子贤之。孟子曰，禹稷颜回同道。禹思天下有溺者，由己溺之也，稷思天下有饥者，由己饥之也，是以如是其急也。禹稷颜子易地则皆然。"卷一《梁惠王上》云：

"五亩之宅，树之以桑，五十者可以衣帛矣。鸡豚狗彘之畜，无失其时，七十者可以食肉矣。百亩之田，勿夺其时，数口之家可以无饥矣。谨庠序之教，申之以孝悌之义，颁白者不负戴于道路矣。七十者衣帛食肉，黎民不饥不寒，然而不王者未之有也。"后者所说具体的事，所谓仁政者是也，前者是说仁人之用心，所以儒家的根本思想是仁，分别之为忠恕，而仍一以贯之，如人道主义的名称有误解，此或可称为人之道也。阮伯元在《论语论仁论》中云：

"《中庸篇》，仁者人也。郑康成注，读如相人偶之人。相人偶者谓人之偶之也，凡仁必于身所行者验之而始见，亦必有二人而仁乃见，若一人闭户齐居，瞑目静坐，虽有德理在心，终不得指为圣门所谓之仁矣。盖士庶人之仁见于宗族乡党，天子诸侯卿大夫之仁见于国家臣民，同一相人偶之道，是必人与人相偶而仁乃见也。"这里解说儒家的仁很是简单明了，所谓为仁直捷的说即是做人，仁即是把他人当做人看待，不但消极的己所不欲勿施于人，还要以己所欲施于人，那就是己欲立而立人，己欲达而达人，更进而以人之所欲施之于人，那更是由恕而至于忠了。章太炎先生在《菿汉微言》中云：

"仲尼以一贯为道为学，贯之者何，只忠恕耳。诸言絜矩之道，言推己及人者，于恕则已尽矣。人食五谷，麋鹿食荐，即且甘带，鸱鸦嗜鼠，所好未必同也，虽同在人伦，所好高下亦有种种殊异，徒知絜矩，谓以人之所好与之，不知适以所恶与之，是非至忠焉能使人得职邪。尽忠恕者是唯庄生能之，所云齐物即忠恕两举者也。二程不悟，乃云佛法厌弃己身，而以头目脑髓与人，是以己所不欲施人也，诚如是者，鲁养爰居，必以太牢九韶耶。以法施人，恕之事也，以财及无畏施人，忠之事也。"忠恕两尽，诚是为仁之极致，但是顶峰虽是高峻，其根础却也很是深广，自圣贤以至凡民，无不同具此心，各得应其分际而尽量施展，如阮君所言，士庶人之仁见于宗族乡党，天子诸侯卿大夫之仁见于国家臣民，有如海水中之盐味，自一勺以至于全大洋，量有多少而同是一味也。还有一点特别有意义的，我们说到仁仿佛是极高远的事，其实倒是极切实，也可以说是卑近的，因为他的根本原来只是人之生物的本能。焦理堂著《易余龠录》卷十二有一则云：

"先君子尝曰，人生不过饮食男女，非饮食无以生，非男女无以生生。唯我欲生，人亦欲生，我欲生生，人亦欲生生，孟子好货好色之说尽之矣。不必屏去我之所生，我之所生生，但不可忘人之所生，人之所生生。循学《易》三十年，乃知先人此言圣人不易。"案《礼记·礼运》篇云：

"饮食男女，人之大欲存焉，死亡贫苦，人之大恶存焉。"说的本是同样的道理，但经焦君发挥，意更明显。饮食以求个体之生存，男女以求种族之生存，这本是一切生物的本能，进化论者所谓求生意志，人也是生物，所以这本能自然也是有的。不过一般生物的求生是单纯的，只要能生存便不问手段，只要自己能生存，便不惜危害别个的生存，人则不然，他与生物同样的要求生存，但最初觉得单独不能达到目的，须与别个联络，互相扶助，才能好好的生存，随后又感到别人也与自己同样的有好恶，设法圆满的相处，前者是生存的方法，动物中也有能够做到的，后者乃是人所独有的生存道德，古人云人之所以异于禽兽者几希，盖即此也。此原始的生存的道德。即为仁的根苗，为人类所同具，但是人心不同各如其面，各民族心理的发展也就分歧，或由求生存而进于求永生以至无生，如犹太印度之趋向宗教，或由求生存而转为求权力，如罗马之建立帝国主义，都是显著的例，唯独中国固执着简单的现世主义，讲实际而又持中庸，所以只以共济即是现在说的烂熟了的共存共荣为目的，并没有什么神异高远的主张。从浅处说这是根据于生物的求生本能，但因此其根本也就够深了，再从高处说，使物我备得其所，是圣人之用心，却也是匹夫匹妇所能潜力，全然顺应物理人情，别无一点不自然的地方。我说健全的思想便是这个缘故。这又是从人的本性里出来的，与用了人工从外边灌输进去的东西不同，所以读书明理的士人固然懂得更多，就是目不识一丁字，并未读过一句圣贤书的老百姓也都明了，待人接物自有礼法，无不合于圣贤之道，我说可以乐观，其原因即在于此。中国人民思想本于儒家，最高的代表自然是孔子，但是其理由并不是因为孔子创立儒家，殷殷传道，所以如此，无宁倒是翻过来说，因为孔子是我们中国人，所以他代表中国思想的极顶，即集大成也。国民思想是根苗，政治教化乃是阳光与水似的养料，这固然也重要，但根苗尤其要紧，因为属于先天的部分，或坏或好，不是外力所能容易变动的。中国幸而有此思想的好根苗，这是极可喜的事，在现今百事不容乐观的时代，只这一点我觉得可以乐观，可以积极的声明，中国的思想绝对没有问题。

不过乐观的话是说过了,这里边却并不是说现在或将来没有忧虑,没有危险。俗语说,有一利就有一弊。在中国思想上也正是如此。但这也是难怪的,民非水火不生活,而洪水与大火之祸害亦最烈,假如对付的不得法,往往即以养人者害人,中国国民思想我们觉得是很好的,不但过去时代相当的应付过来了,就是将来也正可以应付,因为世界无论怎么转变,人总是要做的,而做人之道也总还是求生存,这里与他人共存共荣也总是正当的办法吧。不过这说的是正面,当然还有其反面,而这反面乃是可忧虑的,中国人民生活的要求是很简单的,但也就很切迫,他希求生存,他的生存的道德不愿损人以利己,却也不能如圣人的损己以利人。别的宗教的国民会得梦想天国近了,为求永生而蹈汤火,中国人没有这样的信心,他不肯为了神或为了道而牺牲,但是他有时也会蹈汤火而不辞,假如他感觉生存无望的时候,所谓铤而走险,急将安择也。孟子说仁政以黎民不饥不寒为主,反面便是仰不足以事父母,俯不足以畜妻子,乐岁终身苦,凶年不免于死亡,则是丧乱之兆,此事极简单,故述孔子之言曰,"道二,仁与不仁而已矣。"仁的现象是安居乐业,结果是太平,不仁的现象是民不聊生,结果是乱。这里我们所忧虑的事,所说的危险,已经说明了,就是乱。我尝查考中国的史书，体察中国的思想，于是归纳的感到中国最可怕的是乱，而这乱都是人民求生意志的反动，并不由于什么主义或理论之所导引，乃是因为人民欲望之被阻碍或不能满足而然。我们只就近世而论，明末之张李，清季之洪杨，虽然读史者的批评各异，但同为一种动乱，其残毁的经过至今犹令谈者色变，论其原因也都由于民不聊生，此实足为殷鉴。

中国人民平常爱好和平，有时似乎过于忍受，但是到了横决的时候，却又变了模样，将原来的思想态度完全抛在九霄云外，反对的发挥出野性来，可是这又怪谁来呢？俗语云，相骂无好言，相打无好拳。以不仁召不仁，不亦宜乎。现在我们重复的说，中国思想别无问题，重要的只是在防乱，而防乱则首在防造乱，此其责盖在政治而不在教化。再用孟子的话来说，我们的力量不能使七十者衣帛食肉，黎民不饥不寒，也总竭力要使得不至于仰不足以事父母，俯不足以畜妻子，乐岁终身苦，凶年不免于死亡。不去造成乱的机会与条件，这虽是消极的工作，但其功验要比肃正思想大得多，这虽然与西洋外国的理论未必合，但是从中国千百年的史书里得来的经验，至少在本国要更为适切相宜。过去的史书真是国家之至宝，在这本总账上国民的健康与疾病都一一记录着，看了流寇始末，知道这中了什么毒，但是想到王安石的新法反而病民，又觉得补药用的不得法也会致命的。古人以史书比作镜鉴，又或冠号曰资治，真是说的十分恰当。我们读史书，又以经子诗文均作史料，从这里直接去抽取结论，往往只是极平凡的一句话，却是极真实，真是国家的脉案和药方，比伟大的高调空论要好得多多。曾见《老学庵笔记》卷一有一则云：

"青城山上官道人北人也，巢居食松麨，年九十矣，人有谒之者，但粲然一笑耳，有所请问则托言病聩，一语不肯答。予尝见之于丈人观道院，忽自语养生曰，为国家致太平与长生不死皆非常人所能然，且当守国使不乱以待奇才之出，卫生使不夭以须异人之至，不乱不夭皆不待异术，惟谨而已。予大喜，从而叩之，则已复言聩矣。"这一节话我看了非常感服，上官道人虽是道士，不夭不乱之说却正合于儒家思想，是最小限度的政治主张，只可惜言之非艰，行之维艰耳。我尝叹息说，北宋南宋以至明的季世差不多都是成心在做乱与夭，这实在是件奇事，但是展转仔细一想，现在何尝不是如此，正如路易十四明知洪水在后面会来，却不设法为百姓留一线生机，俾得大家有生路，岂非天下之至愚乎。书房里读《古文析义》，杜牧之《阿房宫赋》末了云，秦人不暇自哀而后人哀之，后人哀之而不鉴之，亦使后人而复哀后人也，当时琅琅然诵之，以为声调至佳,及今思之,乃更觉得意味亦殊深长也。

上边所说,意思本亦简单,只是说得啰嗦了,现在且总括一下。我相信中国的思想是没有问题的,因为他有中心思想永久存在,这出于生物的本能,而止于人类的道德,所以是很坚固也很健全的。别的民族的最高理想有的是为君,有的是为神,中国则小人为一己以及宗族,君子为民,其实还是一物。这不是一部分一阶级所独有,乃是人人同具,只是广狭程度不同,这不是圣贤所发起,逐渐教化及于众人,乃是倒了过来,由众人而及于圣贤,更益提高推广的。因为这个缘故,中国思想并无什么问题,只须设法培养他,使他正当长发便好。但是又因为中国思想以国民生存为本,假如生存有了问题,思想也将发生动摇,会有乱的危险,此非理论主义之所引起,故亦非文字语言所能防遏。我这乐观与悲观的两面话恐怕有些人会不以为然,因为这与外国的道理多有不合。但是我相信自己的话是极确实诚实的,我也曾虚心的听过外国书中的道理,结果是只接受了一部分关于宇宙与生物的常识,若是中国的事,特别是思想生活等,我觉得还是本国人最能知道,或者知道的最正确。我不学爱国者那样专采英雄贤哲的言行做例子,但是观察一般民众,从他们的庸言庸行中找出我们中国人的人生观,持与英雄贤哲比较,根本上亦仍相通,再以历史中治乱之迹印证之,大旨亦无乖谬,故自信所说虽浅,其理颇正,识者当能辨之。陈旧之言,恐多不合时务,即此可见其才之拙,但于此亦或可知其意之诚也。三十一年十一月十八日。

(1942年作,选自《药堂杂文》)

汉文学的前途

今天所谈的是中国新文学之将来,题目却是汉文学,这里须稍有说明。我意想中的中国文学,无论用白话那一体,总都是用汉字所写,这就是汉文,所以这样说,假如不用汉字而用别的拼音法,注音字母也好,罗马字也好,反正那是别一件东西了,不在我所说的范围以内。因为我觉得用汉字所写的文字总多少接受着汉文学的传统,这也就是他的特色,若是用拼音字写下去,与这传统便渐有远离的可能了。

汉文学的传统是什么,这个问题一时也答不上来,现在只就我感到的一部分来一说,这就是对于人生的特殊态度。中国思想向来很注重人事,连道家也如是,儒家尤为明显,世上所称中国人的实际主义即是从这里出来的。孔孟的话不必多引了,我们只抄《孟子·离娄》里的一节话来看。

"禹稷当平世,三过其门而不入,孔子贤之。颜子当乱世，居于陋巷，一箪食，一瓢饮，人不堪其忧，颜子不改其乐，孔子贤之。孟子曰，禹稷颜回同道。禹思天下有溺者，由己溺之也，稷思天下有饥者，由己饥之也，是以如是其急也。禹稷颜子易地则皆然。"我想这禹稷精神当是中国思想的根本，孔孟也从此中出来，读书人自然更不必说了。在诗歌里自《诗经》《离骚》以至杜甫，一直成为主潮，散文上更为明显，以致后来文以载道的主张发生了流弊，其形势可想而知。这如换一句话说，就可以叫作为人生的艺术，但是他虽执着人生，却不偏向到那一极端去，这是特别的一点。在自家内有道家与法家左右这两派，在外边又有佛教与基督教这两派，他在中间应酬了这两千年，并未发生什么动摇，可知其根本是很深稳的了。其特色平常称之曰中庸，实在也可以说就是不彻底，而不彻底却也不失为一种人生观，而且这也并不是很容易办的事。大抵这完全是从经验中出来的，道家的前辈经验太深了，觉得世事无可为，法家的后生又太浅了，觉得大有可为，儒家却似经过忧患的壮年，他知道这人生不太可乐，也不是可以抛却不管了事的，只好尽力的去干了看，这即是所谓知其不可为而为之的态度。道家与佛教，法家与基督教，各站在一极端，自有他的理想，不是全便是无，儒家不能那样决绝，生活虽难，觉得不必绝粒饿死，也难望辟谷长生，余下的一条路还只是努力求生，如禹稷者即其代表，迫生尽死至，亦便溘然，以个人意见言之，正复恰合于生物之道者欤。

中国民族的这种人生观，在汉文学上可以说是伦理的传统，我看一直占着势力，不曾有什么变动。这是一个很好的木本水源，从这里可以长发出健全的艺术以及生活来，将来的文学自必沿着这道路前进，但是要紧的一点是在强固地立定基础之外，还要求其更切实的广化。中国的伦理根本在于做人，关于这个说明，孔子曰，仁者人也。近世焦理堂云：

"先君子尝曰，人生不过饮食男女，非饮食无以生，非男女无以生生。唯我欲生，人亦欲生，我欲生生，人亦欲生生，孟子好货好色之说尽之矣。不必屏去我之所生，我之所生生，但不可忘人之所生，人之所生生。循学《易》三十年，乃知先人此言圣人不易。"这一节说得极好，当作生活南针的确已是十分好了，但是在学术艺文发展上，对于人其物的认识更是必要，而这在中国似正甚缺少。本来所谓人的发现在世界也还是近代的事，其先只是与神学思想的对立，及生物学人类学日益发达，人类文化的历史遂以大明，于是人的自觉才算约略成就。又孟子曰，民为贵，社稷次之，君为轻。此固是千古名言，确实足为中国固有思想的代表，唯此但为政治道德之大纲，而其目或尚有未备。《庄子·天道篇》云：

"昔者舜问于尧曰，天王之用心何如。尧曰吾不敖无告，不废穷民，苦死者，嘉孺子而哀妇人，此吾所以用心已。"这里嘉孺子而哀妇人一句话，恰补充得很好，此固是仁民所有事，但值得特别提出来说，这与现代的儿童研究和妇女问题正拉得上，我想在将来中国的道德政治，学术文艺上，这该有重大的地位，希望中国文化人肯于此予以注意。过去多少年间中国似乎过分的输入外国思想，以致有类似流弊的现象发生，但稍为仔细考察，其输入并未能及日本前例之三分一，且又未能充分消化吸收，所谓流弊乃即起因于此，盖不消化亦会中毒也。吾人吸收外国思想固极应慎重，以免统系迥殊的异分子之侵入，破坏固有的组织，但如本来已是世界共有的文化与知识，唯以自己的怠惰而落伍，未克取得此公产之一部分，则正应努力赶上获得，始不忝为文明国民，通今与复古正有互相维系之处。中国固有思想重人事，重民生，其发现于哲学文艺上者已至显明，今后则尚期其深化，于实际的利用厚生之上更进而为人间之发见与了解，次又由不敖无告之精神，益广大化，念及于孺子妇人，此亦是一种新的发现与了解也。由此观之，将来新文学之伟大发展，其根基于中国固有的健全的思想者半，其有待于世界的新兴学问之培养者亦半，如或不然，虽日日闭户读《离骚》，即有佳作亦是楚辞之不肖子，没有现代的意味。在现今的中国,希望将近世生物人类儿童妇女各部门的学者学说全介绍进来,这件事显见得是不可能的,但是在文化界至少不可不有这么一种空气,至少有志于文学工作不可不有此一点常识,简单的一句话,也只是说文学不再是象牙塔里的事,须得出至人生的十字街头罢了。中国新文学不能孤立的生长,这里必要思想的分子,有自己的特性而又与世界相流通,此即不是单讲诗文的所能包办,后来的学子所当自勉而不必多让者也。于今不必多征引外国旧事以为左证,但闻近时有日本文学批评家推举本国文人,以夏目漱石,森鸥外,长谷川二叶亭三氏为代表,以其曾经世界文艺之磨炼,此言大有见解,中国文人正大可作为参考也。

在《论语》里孔子曾说过这样的话,曰,修辞立其诚,又曰,辞达而已矣。这两句话的意思极是,却也很平常,不必引经据典的说,一般人也都会赞成,认为写文章的正当规律,现在却这样郑重的征引者,别无什么重要缘故,实只是表明其有长久的传统而已。从前我偶讲中国文学的变迁,说这里有言志载道两派,互为消长,后来觉得志与道的区分不易明显划定,遂加以说明云,载自己的道亦是言志,言他人之志即是载道,现在想起来,还不如直截了当的以诚与不诚分别,更为明了。本来文章中原只是思想感情两种分子,混合而成,个人所特别真切感到的事，愈是真切也就愈见得是人生共同的，到了这里志与道便无可分了，所可分别的只有诚与不诚一点，即是一个真切的感到，一个是学舌而已。如若有诚，载道与言志同物，又以中国思想偏重入世，无论言志载道皆希望于世有用，此种主张似亦相当的有理。顾亭林著《日知录》卷十九有《文须有益于天下》一则，其文曰：

"文之不可绝于天地间者，曰明道也，纪政事也，察民隐也，乐道人之善也，若此者有益于天下，有益于将来，多一篇多一篇之益矣。若夫怪力乱神之事，无稽之言，剿袭之说，谀佞之文，若此者有损于己，无益于人，多一篇多一篇之损矣。"又文集卷四《与人书二》中云：

"孔子之删述六经，即伊尹太公救民于水火之心，而今之注虫鱼命草木者，皆不足以语此也。"顾君的正统思想鄙人深所不取，但这里所说文须有益于天下，却说的不错，盖中国人如本其真诚为文，结果自然多是忧生悯乱之情，即使貌若闲适，词近靡丽，而其宗旨则一，是即是有益于世，谓之明道殆无不可矣。孔子删述六经未为定论，不敢率尔附和，但如云古来贤哲述作，即伊尹太公救民于水火之心，则鄙人亦甚同意，且觉得此比喻下得极妙，安特勒也夫曾云，文学的伟大工作在于消除人间所有种种的界限与距离，案是即仁人之用心，正可为顾君之言作为证明。由是言之,怪力乱神之事,无稽之言,苟出于此种用心,其文学的价值亦仍重大,未可妄意轩轾,唯剿袭诪佷,自是有损无益,其故正由于不诚耳,若注虫鱼命草木乃是学者所有事,与立言固自无关也。统观中国文学的变迁,最大的毛病在于摹仿,剿说雷同,以至说诳欺人,文风乃以堕地,故镜情伪一事,诚如顾君所言,至为重要。《日知录》中曾论之曰:

"黍离之大夫,始而摇摇,中而如噎,既而如醉,无可奈何而付之苍天者,真也。汨罗之宗臣,言之重,辞之复,心烦意乱而其词不能以次者,真也。栗里之征士,淡然若忘于世,而感愤之怀,有时不能自止而微见其情者,真也。其汲汲于自表暴而为言者,伪也。"此论本为钱谦益而发,但语甚有理,读中国古文学者固可以此为参考,即在将来为新文学运动者读之亦未为无益也。

再从诚说到达,这里的话就只有简单的几句。写文章的目的是要将自己的意思传达给别人知道,那么怎么尽力把意思达出来自然是最要紧的一件事,达意达得好的即是好文章,否则意思虽好而文章达不出,谁能够知道他的好处呢。这些理由很是简单,不必多赘,只在这里将我的私见略述一二点。其一,我觉得各种文体大抵各有用处,骈文也是一种特殊工具,自有其达意之用，但是如为某一文体所拘束，如世间认定一派专门仿造者，有如削足适履，不能行路，无有是处。其二，白话文之兴起完全由于达意的要求，并无什么深奥的理由。因为时代改变，事物与思想愈益复杂，原有文句不足应用，需要一新的文体，乃始可以传达新的意思，其结果即为白话文，或曰语体文，实则只是一种新式汉文，亦可云今文，与古文相对而非相反，其与唐宋文之距离，或尚不及唐宋文与《尚书》之距离相去之远也。这样说来，中国新文学为求达起见利用语体文，殆毫无疑问，至其采用所谓古文与白话等的分子，如何配合，此则完全由作家个人自由规定，但有唯一的限制，即用汉字写成者是也。如由各个人的立场看去，汉字汉文或者颇有不便利处，但为国家民族着想，此不但于时间空间上有甚大的联络维系之力，且在东亚文化圈内亦为不可少的中介，吾人对于此重大问题，以后还须加以注意。

我想谈汉文学的前途，稿纸写了七张，仍是不能得要领。这原来是没法谈的问题。前途当然是有的，只要有人去做。有如一片荒野，本没有路，但如有人开始走了，路就出来了，荒野尽头是大河，有人跳下去游泳，就渡了过去，随后可以有渡船，有桥了。中国文学要有前途，首先要有中国人。中国人的前途——这是又一问题。现在只就文学来谈，我记起古时一句老话，士先器识而后文章，我觉得中国文人将来至少须得有器识，那么可以去给我们寻出光明的前途来。我想这希望不会显得太奢罢。

附　记

民国二十九年冬曾写一文曰"汉文学的传统"，现今所说大意亦仍相同，恐不能中青年读者之意，今说明一句，言论之新旧好歹不足道，实在只是以中国人立场说话耳。太平时代大家兴高采烈，多发为高论，只要于理为可，即于事未能，亦并不妨，但不幸而值祸乱，则感想议论亦近平实，大抵以国家民族之安危为中心，遂多似老生常谈，亦是当然也。中国民族被称为一盘散沙，自他均无异辞，但民族间自有系维存在，反不似欧人之易于分裂，此在平日视之或无甚足取，唯乱后思之，正大可珍重。我们史书，永乐定都北京，安之若故乡，数百年燕云旧俗了不为梗，又看报章杂志之记事照相，东至宁古塔，西至乌鲁木齐，市街住宅种种色相，不但基本如一，即琐末事项有出于迷信敝俗者，亦多具有，常令览者不禁苦笑。反复一想，此是何物在时间空间中有如是维系之力，思想文字语言礼俗，如此而已。汉字汉语，其来已远，近更有语体文，以汉字写国语，义务教育未普及，只等刊物自然流通的结果，现今青年以汉字写文章者，无论地理上距离间隔如何，其感情思想却均相通，这一件小事实有很重大的意义。旧派的人，叹息语体文流行，古文渐衰微了，新派又觉得还不够白话化方言化，也表示不满意，但据我看来，这在文章上正可适用，更重要的乃是政治上的成功，助成国民思想感情的联络与一致，我们固不必要褒扬新文学运动之发起人，唯其成绩在民国政治上实较文学上为尤大，不可不加以承认。以后有志于文学的人亦应认明此点，把握汉文学的统一性，对于民族与文学同样的有所尽力，必先能树立了国民文学的根基，乃可以大东亚文学之一员而参加活动，此自明之事实也。关于文人自肃，亦属重要，唯苦口之言，取憎于人，且即不言而亦易知，故从略。民国癸未七月二十日记。

（1943年作，选自《药堂杂文》）

国语文的三类

书架上有一部《宗月锄遗著八种》，寒夜无事，拿下来翻看。末了一种是《历代名人选例汇钞》二卷，分录文诗选本例言，卷上有姚鼐《古文辞类纂类例》和曾国藩《求阙斋经史百家杂钞例》，卧读一过，觉得很有意思。《古文辞类纂》是桐城派的圣书，四十多年前在南京学堂里的时候，仪征刘老师为汉文总教习，叫学生制备这部书，用作圭臬，我们官费生买不起的也只好不买，从同学处却也借了来看过一下。不知怎的对于他的印象还不及《古文观止》的好，文章反正差不多，未必辨得出什么好坏，大抵这还是人的印象的反映，方望溪的刻薄的事后来才知道，当时对我们讲义法的人总觉得是一派假道学，不能引起好感，假道学当然只是那时的猜疑，其实客气总是真的。宗君在类例后面加上小注，也说明云：

"陆继辂《合肥学舍札记》云，《类纂》不录唐顺之《广右战功序》，而归震川寿序录至四首，未免可疑，《出师表》仍俗本加前字亦非。吴敏树与人论文书云，今之称桐城派者，始自乾隆间姚郎中姬传，自以古文法脉传之刘海峰，而海峰固受业方望溪者，故其撰《类纂》一书，遂以方刘续震川而以震川续八家，明以古今文统系之己也，云云。是其用心所在，早有以窥之矣。"这种办法本来也并不是姚姬传发明的，推究上去当然是韩退之，而韩退之则又是学孟子的，读过四书的人大概都能记得。明赵梦白著《笑赞》中有一则云：

"唐朝山人殷安尝谓人曰，自古圣人数不过五，伏羲神农周公孔子，乃屈四指。自此之后，无屈得指者。其人曰，老先生是一个。乃屈五指曰，不敢。赞曰，殷安自负是大圣人，而唐朝至今无知之者，想是不会装圣人，若会装时，即非圣人，亦成个名儒。"赵君是道地的贤人，而对于装圣人名儒者如此说法，岂不痛哉。姚君也并不是没有他自己的本领的人，而无端背上去抗了一个方望溪，又加上归震川与韩退之，倒反弄得自己也爬走不动。比较起来，曾君的《经史百家杂钞》要高明得多了。第一，他不装圣人，要和别人争什么文统。第二，他不像别人那样不敢选经文，书名既列有经史，所钞每类以六经冠其端，尊经与否可不必论，总之他是懂得经史都是文章的。第三，分类也较合理。《类纂》分十三类，派里的人遵奉不敢违，那是当然的，但是我们隔教固然莫名其妙，就是同行的文人也不一定赞同。曾君便把他增减为十一类，用在古文上觉得适当，因为分得颇有条理，如删去赠序类，归并颂赞箴铭于词赋之下，附碑志于传志内，都很不错，所增有叙记典志，意思在于看重史书，但又说明后世古文中不多见，此或出于经世家的意见，与一般论文者自稍有不同耳。

上边说了些闲话，仿佛是想来议论古文选本的好歹，其实并不是如此，我所觉得有意思的乃是因了古文的分类而想到我们的国语文的体制。我看《杂钞》的十一类中，只有其一论著，其三序跋，其六书牍，其十一杂记，这四类的文章现在我们能够写，其余的便有点困难，实在也是不大有此需要。例如其二词赋，这就为才力所限，用国语文又难用韵，只好敬谢不敏，其四五诏令奏议，现已不用，其七八哀祭传志，虽尚有用处，也总不是人人来得，其九十叙记典志，属于史事典章，更是专门之事了。归结起来，我们用现代国语文写文章，所能做的便只有上面所说的这几类，比较都是不重要的，难怪看惯正宗的古文的先生们要看不起，说这不过是些小品罢了。这实在也是难怪的。即如论著一类，我虽说是现在可以写，其实还很有疑问，据《杂钞例》说明云："经如《洪范》《大学》《中庸》《乐记》《孟子》皆是。后世诸子曰篇，曰训，曰览，古文家曰原，曰论，曰辨，曰议，曰说，曰解皆是。"

这样说来，现在应当称作学术论文，或建立理论，或考证发明，非思想家学者不能胜任，我们不是弄哲学政治的人，既然不愿学做《原道》这一路的东西，又写不出周秦诸子那种作品来，俗语云，比上不足，比下有余，那么仔细考索之后大约也就只好断念，把这一类文章题目暂且搁起。这样一来，余下的只有三类了，篇幅不长，内容也不甚严正，普通正统文人的集子里都是不大收的，无论怎么看法总不免似乎是小品，所以我说是难怪。不过难怪云者乃是宽恕之词，若是依照道理说来，其错误或不通之处还仍是显然存在也。

所谓小品不知是如何定义。最平常的说法是照佛经原义，详者为大品经，略者为小品。我们不去拉扯唐三藏所取来的《大般若经》，就只拿《维摩诘经》过来，与中国的经书相比，便觉得不但孔孟的文章都成了小小品，就是口若悬河的庄生也要愕然失色，决不敢自称为大品了。假如不是说量而是说质，以为凡文不载所谓道，不遵命作时文者，都不合式，那是古已有之的办法，对于正统正宗的文章乃是异端，不只在其品之大小而已。所以小品的名称实在很不妥当，以小品骂人者固非，以小品自称者也是不对，这里我不能不怪林语堂君在上海办半月刊时标榜小品文之稍欠斟酌也。我曾说我们写国语文，并无什么别的大理由，只因写文章必须求诚与达，所以用的必得是国语，而写的也只是上边的这几类，盖古文用起来不顺手，不容易达出真意思，若是去写新古各式的时文，又未免不能诚，这就根本上违反了写文章的本意了。大家岂不愿意做出洋洋洒洒的大文章来，不独自己体面，也可使得人家爱看，可是作文小事，第一不可失信于自己，心口不一，即是妄语，所当切戒，故写国语文者少写大品的文章，有时固是实在不能，有时亦是不为也。说到这里，我的意思已经讲明白了。我们现在用了国语文做工具，想要写出自己的感想和意见来，其方法是直接对读者说话，或依据前言加以发挥，或记事物，结果不出上边说过的几类，但这样便是好的，是正当的方向，我们应当一直的走下去。有才力和兴趣的人不妨去试试小说戏曲，这是新兴的部门，大有发展的余地，但是在只能写散文的人，则还只得走他的这一条道，路是寂寞，荒芜，而且长，不过这是散文的走路，走下去我相信可走得通。至少要比过去的路程还更有意思，更有希望。

（1945年作，选自《立春以前》）

文学史的教训

中国文学史不知道谁做的最好,朋友们所做的也有好几册,看过也都已忘记了,但是在电灯没有的时候,仰卧在床上,偶然想起这里边的几点,和别国的情形来比较看,觉得颇有意思。最显著的一件是,世界各民族文学发生大抵诗先于文,中国则似乎是例外。《诗经》是最古的诗歌总集,其中只有《商颂》五篇,即使不说是周时宋人所作,也总是武丁以后,距今才三千年,可是《尚书》中有《虞书》《夏书》,至今各存有两篇,《尧典》《皋陶谟》云是虞史伯夷所作,《禹贡》亦作于虞时,至于《甘誓》更有年代可稽,当在四千一百五十年前也。《皋陶谟》之末有舜与皋陶的歌三章,只是简单的话而长言之,是歌咏在史上的表现,但其成绩不好总是实在的。外国的事情假如以古希腊为例,史诗一类发达最早,即以现存资料而论,成绩也很好,诃美洛斯与赫西阿陀斯的四篇长诗，除印度以外可以称为世界无比的大作，虽然以时代而论不过只是在中国殷周之际。反复的想起来，中国的《尚书》仿佛即与史诗相当，不过因为没有神话，所以不写神与英雄的事迹，却都是关于政治的事，便只是史而非诗，其所以用散文写的理由或者亦即在此。《国风》《小雅》这一部分在希腊也是缺少，及抒情诗人兴起，则与中国汉魏以来的情形可以相比，没有多大的不同了。讲到散文发达之际，两国又有很相像之点，这件事觉得很有意义，值得加以注意。希腊散文有两个源流，即史与哲学，照中国的说法是史与子，再把六经分析来说，《书》与《春秋》是史，《易》《礼》也就是子了。赫洛陀多斯与都屈迭台斯正与马班相当，梭格拉底与柏拉图仿佛是孔孟的地位，此外诸子争鸣，这情形也有点相似，可是奇怪的是中国总显得老成，不要说太史公，便是《左传》《国语》也已写得那一手熟练的文章，对于人生又是那么精通世故，这是希腊的史家之父所未能及的。柏拉图的文笔固然极好，《孟子》《庄子》却也不错，只是小品居多，未免不及，若是下一辈的亚理士多德这类人，我们实在没有，东西学术之分歧恐怕即起于此，不得不承认而且感到惭愧。希腊爱智者中间后来又分出来一派所谓智者，以讲学授徒为业，这更促进散文的发达，因为那时雅典施行一种民主政治，凡是公民都可参与，在市朝须能说话，关于政治之主张，法律之申辩，皆是必要，这种学塾的势力大见发展，直至后来罗马时代也还如此，虽然政治的意义渐减，其在文章与思想上的影响却是极大的。我所喜爱的古代文人之一，以希腊文写作的叙利亚人路吉亚诺斯，便是这种的一位智者，他的好些名篇可以当作这派的代表作，虽然已是二千年前的东西，却还是像新印出来的，简直是现代通行的随笔，或者称他为杂文也好，因为文章不很简短，所以不大好谥之曰小品。中国散文大概因为它起头很早，在舜王爷的时候已经写了不少，经验多了的缘故吧，左丘明的文笔已是那么漂亮，《战国策》的那些简直是智者的诡辩的那一路，想见苏秦张仪之流也曾经很下过工夫，不过这里只留下头悬梁锥刺股的故事，其教本与窗课等均已不得而知罢了。大约还是如上边所说，因为态度太老成，思想太一统，以后文章尽管发达，总是向宫廷一路走去，贾太傅上书著论，司马长卿作赋，目的在于想得官家的一顾，使我们并辈凡人看了觉得喜欢的实在不大有，恐怕直至现今这传统的作法也还未曾变更。汉魏六朝的文字中我所喜的也有若干，大都不是正宗的一派，文章不太是做作，虽然也可以绮丽优美，思想不太是一尊，要能了解释老，虽然不必归心哪一宗，如陶渊明颜之推等都是好的。古希腊便还不差，除了药死梭格拉底之外，在思想文字方面总是健全的，这很给予读古典文学的人以愉快与慰安。但是到了东罗马时代，尤思帖亚奴思帝令封闭各学塾，于是希腊文化遂以断绝，时为中国梁武帝时，而中国则至唐朝韩退之出，也同样的发生一种变动，史称其文起八代之衰，实则正统的思想与正宗的文章合而定于一尊，至少散文上受其束缚直至于今未能解脱，其为害于中国者实深且远矣。儒家是中国的国民思想，其道德政治的主张均以实践为主，不务空谈，其所谓道实只是人之道，人人得而有之，别无什么神秘的地方，乃韩退之特别作《原道》，郑而重之而说明之曰：尧以是传之舜，舜以是传之禹，禹以是传之汤，汤以是传之文武周公，文武周公传之孔子，孔子传之孟轲，轲之死不得其传焉。其意若曰，于今传之区区耳。案，此盖效孟子之颦，而不知孟子之本为东施之颦，并不美观也。孟子的文章我已经觉得有点儿太鲜甜，有如生荔枝，多吃要发头风，韩退之则尤其做作，摇头顿足的作态，如云，呜呼，其亦幸而出于三代之后，不见黜于禹汤文武周公孔子也，其亦不幸而不出于三代之前，不见正于禹汤文武周公孔子也，这完全是滥八股腔调，读之欲呕，八代的骈文里何尝有这样的烂污泥。平心说来，其实韩退之的诗，如山石荦确行径微，黄昏到寺蝙蝠飞，我也未尝不喜欢，其散文或有纰缪，何必吹求责备，但是不幸他成为偶像，将这样的思想文章作为后人模范，这以后的十代里盛行时文的古文，既无意思，亦缺情趣，只是琅琅的好念，如唱皮黄而已，追究起这个责任来，我们对于韩退之实在不能宽恕。罗马皇帝封闭希腊学堂，以基督教为正宗，希腊文学从此消沉了，中国散文则自韩退之被定为道与文之正统以后，也就渐以堕落，这两者情形很有点相像，所可幸的是中国文学尚有复兴之望，只要能够摆脱这个束缚，而希腊则长此中绝，即使近代有新文学兴起也是基督教文化的产物，与以前迥不相同了。

我们说过中国没有史诗而散文的史发达独早，与别国的情形不同，这里似乎颇有意义。没有神话，或者也是理由之一，此外则我想或者汉文不很适合，亦未可知。《诗经》里虽然有赋比兴三体，而赋却只是直说，实在还是抒情，便是汉以后的赋也多说理叙景咏物，绝少有记事的。这些消极方面的怕不足做证据，我们可以从译经中来找材料。印度的史诗是世界著名的，佛经中自然也富有这种分子，最明显的如《佛所行赞经》五卷，《佛本行经》七卷，汉文译本用的都是偈体。本来经中短行译成偈体，原是译经成法，所以这里也就沿用，亦未可知，但是假如普通韵文可以适用，这班经师既富信心，复具文才，不会不想利用以增加效力的。再找下去，可以遇见弹词以及宝卷。弹词有撰人名氏,现存的大抵都是清朝人所作,宝卷则不署名,我想时代还当更早,其中或者有明朝的作品吧。我们现在且不管他的时代如何,所要说明的只是此乃是一种韵文的故事,虽然夹叙夹唱,有一小部分是说白。其韵文部分的形式有七字成一句,三五字成一句者,有三三四字以三节成一句者,俗名攒十字,均有韵,此与偈语殊异,而词句俚俗,又与高雅的汉文不同。尝读英国古时民间叙事小歌,名曰拔辣特,其句多落套趁韵,却又朴野有风趣,如叙闺中帐钩云,东边碰着丁冬响,西边碰着响冬丁,仿佛相似。我们提起弹词,第一联想到的大抵是《天雨花》,文人学士一半将嗤笑之,以为文词粗俗,一半又或加以许可,则因其或有裨于风化也。实在这两样看法都是不对的,我觉得《天雨花》写左维明的道学气最为可憎,而那种句调却也不无可取,有如老夫人移步出堂前,语固甜俗,但是如欲以韵语叙此一节,风骚诗词各式既无可用,又不拟作偈,自只有此一法可以对付,亦即谓之最好的写法可也。史诗或叙事诗的写法盖至此而始成功,唯用此形式乃可以汉文协韵作叙事长篇,此由经验而得,确实不虚,但或古人不及知,或雅人不愿闻,则亦无可奈何,又如或新人欲改作,此事不无可能,只是根本恐不能出此范围,不然亦将走入新韵语之一路去耳。不佞非是喜言运命论者，但是因史诗一问题，觉得在语言文字上也有他的能力的限度，其次是国民兴趣的厚薄问题，这里不大好勉强，过度便难得成功。中国叙事诗五言有《孔雀东南飞》，那是不能有二之作，七言则《长恨歌》《连昌宫词》之类，只是拔辣特程度，这是读古诗的公认之事实，要写更长的长篇就只有弹词宝卷体而已。写新史诗的不知有无其人，是否将努力去找出新文体来，但过去的这些事情即使不说教训也总是很好的参考也。

小说发达的情状，中国希腊颇有点近似，但在戏曲方面则又截然不同，说来话长，今且不多谈，但以关于诗文者为限。现在再就散文说几句，以为结束。中国散文发达比希腊还早，这在世界文学史上是特殊的事，而且连绵四千年这传统一直接连着，至少春秋以来的文脉还活着在国文里，虞夏的文辞则还可以读懂。希腊文化为基督教所压倒了，可是他仍从罗马间接的渗进西欧去，至文艺复兴时又显露出来，法国的蒙田与英国的培根都是这样的把希腊的散文接种过去，至今成为这两国文艺的特色之一。西洋文学的新潮流后来重复向着古国流过去，希腊想必也在从新写独幕剧与写实小说，中国在这方面原来较差，自然更当努力，只有杂文在过去很有根柢，其发达特别容易点，虽然英法的随笔文学至今还未有充分的介绍,可以知道现今散文之兴盛其原因大半是内在的,有如草木的根在土里,外边只要有日光雨水的刺激,就自然生长起来了。这里我们所要特别注意的是,我们说散文发达由于本来有根柢,这只是说明事实,并非以此自豪,以为是什么国粹,实在倒是因此我们要十分警戒,不可使现代的新散文再陷入到旧的泥坑里去,因为他的根长在过去里边,极是容易有这危险。我在上边说过,左丘明那时候已经有那一手熟练的文章,这一面是很可佩服的事情,一面也就是毛病,我们即使不像韩退之那么专讲摇头摆尾的义法,也总容易犯文胜之弊,便是雅达有余而诚不足,现今写国语文的略不小心就会这样的做出新的古文来,此乃是正宗文章的遗传病,我们所当谨慎者一。其次则是正统思想的遗传病,韩退之的直系可以不必说了,文学即宣传之主张在实际上并不比文以载道好,结果都是定于一尊,不过这一尊或有时地之殊异罢了。假如我们根据基督教的宗旨,写一篇大文攻击拜物教的迷信,无论在宗教的立场上怎么有理,我既然以文艺为目的,那么这篇文章也就只是"新原道",没有着笔之价值。过于热心的朋友们容易如此空费气力,心里不赞成韩退之,却无意的做了他的伙计,此为所当谨慎者之二。中国散文的历史颇长,这是可喜的事,但因此也有些不利的地方,我们须得自己警惕，庶几可免，此文学史所给与的教训，最切要亦最可贵者也。

民国三十四年一月十二日。

（1945年作，收入《立春以前》）

古文与理学

蒋子潇著《游艺录》卷下有《论近人古文》一则云：

"余初入京师，于陈石士先生座上得识上元管同异之，二君皆姚姬传门下都讲也。因闻古文绪论，谓古文以方望溪为大宗，方氏一传而为刘海峰，再传而为姚姬传，乃八家之正法也。余时于方姚二家之集已得读之，唯刘氏之文未见，虽心不然其说而口不能不唯唯。及购得《海峰文集》详绎之，其才气健于方姚而根柢之浅与二家同，盖皆未闻道也。夫文以载道，而道不可见，于日用饮食见之，就人情物理之变幻处阅历揣摩，而准之以圣经之权衡，自不为迂腐无用之言。今三家文误以理学家语录中之言为道，于人情物理无一可推得去，是所谈者乃高头讲章中之道也，其所谓道者非也。八家者唐宋人之文，彼时无今代功令文之式样，故各成一家之法，自明代以八股文为取士之功令，其熟于八家古文者即以八家之法就功令文之范，于是功令文中钩提伸缩顿宕诸法往往具八家遗意，传习既久，千面一孔，有今文无古文矣。豪杰之士欲为古文，自必力研古书，争胜负于韩柳欧苏之外，别辟一径而后可以成家，如乾隆中汪容甫嘉庆中陈恭甫，皆所谓开径自行者也。今三家之文仍是千面一孔之功令文，特少对仗耳。以不对仗之功令文为古文，是其所谓法者非也。余持此论三十年，唯石屏朱丹木所见相同。"这里就思想与文章两面，批评方姚及八大家的古文，有独到的见识，就是对于现今读书作文的人也是很好的参考。蒋君极佩服戴东原钱竹汀，以为是古今五大儒之二，我们可以找出一二相同的意见来，加添一点的证据。《潜研堂文集》卷三十一《跋方望溪文》云：

"望溪以古文自命，意不可一世，惟临川李巨来轻之。望溪尝携所作曾祖墓志铭示李，李阅一行即还之，望溪恚曰，某文竟不足一寓目乎。曰，然。望溪益恚，请其说。李曰，今县以桐名者有五，桐乡桐庐桐柏桐梓，不独桐城也，省桐城而曰桐，后世谁知为桐城者，此之不讲，何以言文。望溪默然者久之，然卒不肯改，其护前如此。金坛王若霖尝言，灵皋以古文为时文，以时文为古文，论者以为深中望溪之病。偶读望溪文，因记所闻于前辈者。"又卷三十三《与友人书》详论方望溪之缪，以为其所谓义法者特世俗选本之古文，未尝博观而求其法，法且不知而于义何有，因谓若方氏乃真不读书之甚者，今不具引。王若霖的两句话可以算是不刊之论，无怪如《与友人书》所说，方终身病之。近代的人也多主张此说，《王湘绮年谱》卷五记其论文语云，明代无文，以其风尚在制艺，相去辽绝也，茅鹿门始以时文为古文，因取唐宋之似时文者为八家。这样一说更是明了，八家本各成一家之法，以时文与古文混做的人乃取其似时文者为世俗选本，于是遂于其中提出所谓义法来，以便遵守，若博观而求之，则不能得此捷径矣。方望溪读过许多书，但在奇正浓淡详略本无定法的古文中间，欲据选本以求捷径，其被称为不读书亦正是无足怪也。在思想方面也有同样的情形。《孟子字义疏证》卷下论权末一条详说宋以后儒者理欲之辨的流弊，有云：

"举凡饥寒愁怨饮食男女常情隐曲之感，则名之曰人欲，故终其身见欲之难制，其所谓存理，定有理之名，究不过绝情欲之感耳。何以能绝，曰主一无适。此即老氏之抱一无欲，故周子以一为学圣之要，且明之曰，一者无欲也。天下必无舍生养之道而保存者，凡事皆出于欲，无欲则无为矣，有欲而后有为，有为而归于当而不可易之谓理，无欲无为，又焉有理。老庄释氏主于无欲无为，故不言理，圣人务在有欲有为之咸得理，是故君子亦无私而已矣，不贵无欲，君子使欲出于正不出

于邪,不必无饥寒愁怨饮食男女常情隐曲之感,于是才说诬辞反得刻议君子而罪之,此理欲之辨使吾子无完行者为祸如是也。"又云:

"夫尧舜之忧四海困穷,文王之视民如伤,何一非为民谋其人欲之事,惟顺而导之,使归于善。今既截然分理欲为二,治己以不出于欲为理,治人亦必以不出于欲为理,举凡民之饥寒愁怨饮食男女常情隐曲之感咸视为人欲之甚轻者矣。轻其所轻,乃吾重天理也,公义也,言虽美而用之治人则祸其人,至于下以欺伪应乎上,则曰人之不善。胡弗思圣人体民之情,遂民之欲,不待告以天理公义,而人易免于罪戾者之道也。孟子于民之放辟邪侈无不为以陷于罪,犹曰是罔民也。又曰,救死而恐不赡,奚暇治礼义。古之言理也,就人之情欲求之,使之无疵之为理。今之言理也,离人之情欲求之,使之忍而不顾之为理,此理欲之辨适以穷天下之人,尽转移为欺伪之人,为祸何可胜言哉。"戴君的意见完全是儒家思想,本极平实,只因近千年来为道学家所歪曲,以致本于人情物理而归于至当的人生的路终乃变而为高头讲章之道,影响所及,道德政治均受其祸,学术艺文自更无论矣,得戴君出而发其覆,其功德殊不少也。这种意思从前也有人说过,不过较为简单,如清初刘继庄在《广阳杂记》卷二中一则云;

"余观世之小人未有不好唱歌看戏者，此性天中之《诗》与《乐》也，未有不看小说听说书者，此性天中之《书》与《春秋》也，未有不信占卜祀鬼神者，此性天中之《易》与《礼》也。圣人六经之教原本人情，而后之儒者乃不能因其势而利导之，百计禁止遏抑，务以成周之刍狗茅塞人心，是何异壅川使之不流，无怪其决裂溃败也。夫今之儒者之心刍狗之所塞也久矣，而以天下大器使之为之，爰以图治，不亦难乎。"再早上去则在汉代，如《淮南子·泰族训》云：

"民有好色之性，故有大婚大礼，有饮食之性，故有大飨之谊，有喜乐之性，故有钟鼓管弦之音，有悲哀之性，故有衰绖哭踊之节。故先王之制法也，因民之所好而为之节文者也。"焦里堂云，《淮南子》杂取诸子九流之言，其中有深得圣人精义者。圣人的精义其实是很平易的，无非是人情物理中至当不易的一点，戴君所云饥寒愁怨饮食男女常情隐曲之感，蒋君所云于日用饮食见之，也都是这个意思，唯在后世主张绝欲的理学家则不能了解，却走入反面去，致劳能愳思之士訽诃而辟之，诚不得已也。

我们在上边抄了好些人的言论，本来生怕成为文抄公，竭力节省，却仍然抄了不少，这是为什么呢。八家和方姚的时文化的文章，理学家的玄学化的思想，固然多有缺点，已经有明眼人看穿，而且这些也都已是过去的事，现在何必再翻陈案来打死老虎呢。这话似乎也说得有理，可是只知其一不知其二，因为这依然还是现今的活问题，那只老虎并没有死，仍旧张牙舞爪的要咬人哩。中华民国成立已有三十四年，在三十岁左右的年轻人中间，诚然不见得再有专心讲究桐城义法或是程朱理学的人了吧，但是我们整个的一看文化界的情形，这些还有着绝大的势力，现在如此，将来也要如此，假如现今没有什么方法来补救，使得他变动一下。就是说到青年的读书作文，这也是一个严重的问题，不是可以轻轻看过的。大家鼓励青年读书，这固然是很好的事情，但是读什么书呢。现代的新书不多，即使多也总不够用，那么旧书还是不可不读，而这旧书这物事却不是好玩的，他真有点像一只大虫，你驾御得他住，拿来作坐骑也可以，否则一不小心会被吃下肚去不算，还要给他当听差，文言称曰伥鬼。读新的学术书，特别是关于自然科学的，完全是吸收知识，只要听着记着便好，若是读中国旧书，本来也是吸收知识，却先要经过一番辨别选择作用，有如挑河水来泡茶煮饭，须得滤过，至少也得放下明矾去，使水中泥土杂质和他化合，再泌出水来饮用才行。上面抄了好许多人家的话，便是来做一个例子，旧书里边有这种麻烦的地方，要这样仔细的去辨别，才不至于上当，冒失的踏进门去再也爬不出来。但是预先的警告不得不说的严重一点,其实只要有备无患,别无什么问题了。学者如先具备科学常识,了知宇宙生物的事情,再明了中国思想大要,特别是儒家以仁为主旨的思想,多参考前贤通达的意见,如上文所引者,渐有定见之后,无论看什么书,便能自己辨别选择,书中所有都是药笼中物,孔子曰:三人行必有我师焉,善读书者的态度盖亦正是如此也。

(1945年作,选自《知堂乙酉文编》)

关于近代散文

我与国文的因缘说起来很有点儿离奇。我曾经在大学里讲过几年国文,可是我自己知道不是弄国文的,不能担当这种工作。在书房里我只读完了四书,五经则才读了一半,这就是说《诗》与《易》,此外都只一小部分。进了水师学堂之后,每礼拜有一天的汉文功课,照例做一篇管仲论之类的文章,老师只给加些圈点,并未教示什么义法与规矩。民国前六年往日本,这以后就专心想介绍翻译外国文学,虽然成绩不能很好,除了长篇小说三部,中篇二部,即《炭画》与《黄蔷薇》之外,只有两册《域外小说集》刊行于世。民国元年在本省教育司做了半年卧病的视学,后来改而教书,自二年至六年这中间足足五十个月,当了省立第五中学的英文教员,至其年四月这才离开绍兴,来到北京。当时蔡子民先生接办北京大学,由家兄写信来叫我,说是有希腊罗马文学史及古英文等几门功课,可以分给我担任，于是跑来一看，反正那时节火车二等单趟不过三四十元，出门不是什么难事。及至与蔡先生见面，说学期中间不能添开功课，这本来是事实，还是教点预科的作文吧。这使我听了大为丧气，并不是因为教不到本科的功课，实在觉得国文非我能力所及，虽然经钱玄同沈尹默诸位朋友竭力劝挽，我也总是不答应，从马神庙回寓的路上就想定再玩两三日，还是回绍兴去。可是第二天早半天蔡先生到会馆来，叫我暂在北大附设的国史编纂处充任编纂之职，月薪一百二十元，刚在洪宪倒坏之后，中交票不兑现，只作五六折使用，却也不好推辞，便即留下，在北京过初次的夏天。这其间不幸发了一次很严重的疹子，接着又遇见那滑稽而丑恶的复辟，这增进了我好些见识，所以也可以说是不幸中之幸。秋间北大开学，我加聘为文科教授，担任希腊罗马文学史欧洲文学史两课各三小时，一面翻译些外国小说，送给《新青年》发表，又在《晨报副刊》上写点小文章，这样仿佛是我的工作上了轨道，至文学研究会成立，沈雁冰郑西谛接办《小说月报》，文学运动亦已开始了。恰巧友人沈尹默钱玄同马幼渔叔平隅卿等在办理孔德学校，拉我参加，尹默托我代改高小国文作文本，我也答应了，现今想起来是我与国文发生关系之始，其后又与尹默玄同分担任初中四年国文教课，则已在民国十二三年顷矣。十一年夏天承胡适之先生的介绍，叫我到燕京大学去教书，所担任的是中国文学系的新文学组，我被这新字所误，贸贸然应允了，岂知这还是国文，根本原是与我在五年前所坚不肯担任的东西一样，真是大上其当。这不知怎样解说好，是缘分呢，还是运命，我总之是非教国文不可。那时教师只是我一个人，助教是许地山，到第二年才添了一位讲师，便是俞平伯。我的功课是两小时，地山帮教两小时，即是我的国语文学这一门的一部分。我自己担任的国语文学大概也是两小时吧，我不知道这应当怎样教法，要单讲现时白话文，随后拉过去与《儒林外史》《红楼梦》《水浒传》相连接，虽是容易，却没有多大意思，或者不如再追上去，到古文里去看也好。我最初的教案便是如此，从现代起手，先讲胡适之的《建设的文学革命论》，其次是俞平伯的《西湖六月十八夜》，底下就没有什么了。其时冰心女士还在这班里上课，废名则刚进北大预科，徐志摩更是尚未出现，这些人的文章后来也都曾选过，不过那是在民国十七八年的时候。这之后加进一点话译的《旧约》圣书，是《传道书》与《路得记》吧，接着便是《儒林外史》的楔子，讲王冕的那一回，别的白话小说就此略过，接下去是金冬心的《画竹题记》等，郑板桥的题记和家书数通，李笠翁的《闲情偶寄》抄，金圣叹的《水浒传序》。明朝的有张宗子，王季重，刘同人，以至李卓吾，不久随即加入了三袁，及倪元璐，谭友夏，李开先，屠隆，沈承，祁彪佳，陈继儒诸人，这些改变的前后年月现今也不大记得清楚了。大概在这三数年内，资料逐渐收集，意见亦由假定而渐确实，后来因沈兼士先生招赴辅仁大学讲演，便约略说一过，也别无什么新鲜意思，只是看出所谓新文学在中国的土里原有他的根，只要着力培养，自然会长出新芽来，大家的努力决不白费，这是民国二十一年的事。至于资料，又渐由积聚而归删汰，除重要的几个人以外，有些文章都不收入，又集中于明代，起于李卓吾，以李笠翁为殿，这一回再三斟酌，共留存了十人，文章长短七十余篇，重复看了一遍，看出其中可以分作两路，一是叙景兼事的纪游文，一是说理的序文，大抵关于思想文学问题的，此本出于偶然，但是我想到最初所选用的胡俞二君的大文，也正是这两条路的代表作，我觉得这偶然便大有意味，说是非偶然亦可也。还有一层，明季的新文学发动于李卓吾，其思想的分子很是重要，容肇祖君在《李卓吾评传》中也曾说及。民初的新文学运动正是一样，他与礼教问题是密切有关的，形式上是文字文体的改革，但假如将其中的思想部分搁下不提，那么这运动便成了出了气的烧酒，只剩下新文艺腔，以供各派新八股之采用而已。明末这些散文，我们这里称之曰近代散文，虽然已是三百年前，其思想精神却是新的，这就是李卓吾的一点非圣无法气之留遗，说得简单一点，不承认权威，疾虚妄，重情理，这也就是现代精神，现代新文学如无此精神也是不能生长的。古今不同的地方有这一点，李卓吾打破固有的虚妄，却是走进佛教里去，被道学家称为异端，现今则以中国固有的疾虚妄的精神为主，站在儒家的立场来清算一切谬误，接受科学知识做帮助，这既非教旨，亦无国属，故能有利无弊。我本来不是弄国文的人，现在却来谈论国文，又似乎很有意见，说的津津有味，岂不怪哉。我自己还是相信没有教国文的能力，但我是中国人，对于汉文自不能一点不懂不会，至少与别的事物相比总得要多知道一点，而且究竟讲过十年以上，虽然不知说的对与不对，总之于不知为不知之外问我所知，则国文终不得不拿来搪塞说是其一矣。近代散文的资料至今存在，闲中取阅，重为订定，人数篇数具如上述。国文教员乐得摆脱，破书断简落在打鼓担里有何可惜，但凡有所主张亦即有其责任，我今对于此事更有说明，非重视什么主张，实只是表明自己的责任而已。民国三十四年七月二十七日，在北京。

（1945年作，选自《知堂乙酉文编》）

国家新闻出版广电总局
首届向全国推荐中华优秀传统文化普及图书

大家小书书目

国学救亡讲演录	章太炎 著	蒙 木 编
门外文谈	鲁 迅 著	
经典常谈	朱自清 著	
语言与文化	罗常培 著	
习坎庸言校正	罗 庸 著	杜志勇 校注
鸭池十讲（增订本）	罗 庸 著	杜志勇 编订
古代汉语常识	王 力 著	
国学概论新编	谭正璧 编著	
文言尺牍入门	谭正璧 著	
日用交谊尺牍	谭正璧 著	
敦煌学概论	姜亮夫 著	
训诂简论	陆宗达 著	
金石丛话	施蛰存 著	
常识	周有光 著	叶 芳 编
文言津逮	张中行 著	
经学常谈	屈守元 著	
国学讲演录	程应镠 著	
英语学习	李赋宁 著	
中国字典史略	刘叶秋 著	
语文修养	刘叶秋 著	
笔祸史谈丛	黄 裳 著	
古典目录学浅说	来新夏 著	
闲谈写对联	白化文 著	
汉字知识	郭锡良 著	
怎样使用标点符号（增订本）	苏培成 著	
汉字构型学讲座	王 宁 著	

书名	作者	
诗境浅说	俞陛云 著	
唐五代词境浅说	俞陛云 著	
北宋词境浅说	俞陛云 著	
南宋词境浅说	俞陛云 著	
人间词话新注	王国维 著	滕咸惠 校注
苏辛词说	顾随 著	陈均 校
诗论	朱光潜 著	
唐五代两宋词史稿	郑振铎 著	
唐诗杂论	闻一多 著	
诗词格律概要	王力 著	
唐宋词欣赏	夏承焘 著	
槐屋古诗说	俞平伯 著	
词学十讲	龙榆生 著	
词曲概论	龙榆生 著	
唐宋词格律	龙榆生 著	
楚辞讲录	姜亮夫 著	
读词偶记	詹安泰 著	
中国古典诗歌讲稿	浦江清 著 浦汉明 彭书麟 整理	
唐人绝句启蒙	李霁野 著	
唐宋词启蒙	李霁野 著	
唐诗研究	胡云翼 著	
风诗心赏	萧涤非 著	萧光乾 萧海川 编
人民诗人杜甫	萧涤非 著	萧光乾 萧海川 编
唐宋词概说	吴世昌 著	
宋词赏析	沈祖棻 著	
唐人七绝诗浅释	沈祖棻 著	
道教徒的诗人李白及其痛苦	李长之 著	
英美现代诗谈	王佐良 著	董伯韬 编
闲坐说诗经	金性尧 著	
陶渊明批评	萧望卿 著	

古典诗文述略	吴小如 著	
诗的魅力		
——郑敏谈外国诗歌	郑 敏 著	
新诗与传统	郑 敏 著	
一诗一世界	邵燕祥 著	
舒芜说诗	舒 芜 著	
名篇词例选说	叶嘉莹 著	
汉魏六朝诗简说	王运熙 著	董伯韬 编
唐诗纵横谈	周勋初 著	
楚辞讲座	汤炳正 著	
	汤序波 汤文瑞 整理	
好诗不厌百回读	袁行霈 著	
山水有清音		
——古代山水田园诗鉴要	葛晓音 著	
红楼梦考证	胡 适 著	
《水浒传》考证	胡 适 著	
《水浒传》与中国社会	萨孟武 著	
《西游记》与中国古代政治	萨孟武 著	
《红楼梦》与中国旧家庭	萨孟武 著	
《金瓶梅》人物	孟 超 著	张光宇 绘
水泊梁山英雄谱	孟 超 著	张光宇 绘
水浒五论	聂绀弩 著	
《三国演义》试论	董每戡 著	
《红楼梦》的艺术生命	吴组缃 著	刘勇强 编
《红楼梦》探源	吴世昌 著	
《西游记》漫话	林 庚 著	
史诗《红楼梦》	何其芳 著	
	王叔晖 图	蒙 木 编
细说红楼	周绍良 著	
红楼小讲	周汝昌 著	周伦玲 整理

曹雪芹的故事	周汝昌 著	周伦玲 整理
古典小说漫稿	吴小如 著	
三生石上旧精魂		
——中国古代小说与宗教	白化文 著	
《金瓶梅》十二讲	宁宗一 著	
中国古典小说名作十五讲	宁宗一 著	
古体小说论要	程毅中 著	
近体小说论要	程毅中 著	
《聊斋志异》面面观	马振方 著	
《儒林外史》简说	何满子 著	
我的杂学	周作人 著	张丽华 编
写作常谈	叶圣陶 著	
中国骈文概论	瞿兑之 著	
谈修养	朱光潜 著	
给青年的十二封信	朱光潜 著	
论雅俗共赏	朱自清 著	
文学概论讲义	老舍 著	
中国文学史导论	罗庸 著	杜志勇 辑校
给少男少女	李霁野 著	
古典文学略述	王季思 著	王兆凯 编
古典戏曲略说	王季思 著	王兆凯 编
鲁迅批判	李长之 著	
唐代进士行卷与文学	程千帆 著	
说八股	启功 张中行 金克木 著	
译余偶拾	杨宪益 著	
文学漫识	杨宪益 著	
三国谈心录	金性尧 著	
夜阑话韩柳	金性尧 著	
漫谈西方文学	李赋宁 著	
历代笔记概述	刘叶秋 著	

周作人概观	舒芜 著	
古代文学入门	王运熙 著	董伯韬 编
有琴一张	资中筠 著	
中国文化与世界文化	乐黛云 著	
新文学小讲	严家炎 著	
回归，还是出发	高尔泰 著	
文学的阅读	洪子诚 著	
中国文学1949—1989	洪子诚 著	
鲁迅作品细读	钱理群 著	
中国戏曲	么书仪 著	
元曲十题	么书仪 著	
唐宋八大家 ——古代散文的典范	葛晓音 选译	
辛亥革命亲历记	吴玉章 著	
中国历史讲话	熊十力 著	
中国史学入门	顾颉刚 著	何启君 整理
秦汉的方士与儒生	顾颉刚 著	
三国史话	吕思勉 著	
史学要论	李大钊 著	
中国近代史	蒋廷黻 著	
民族与古代中国史	傅斯年 著	
五谷史话	万国鼎 著	徐定懿 编
民族文话	郑振铎 著	
史料与史学	翦伯赞 著	
秦汉史九讲	翦伯赞 著	
唐代社会概略	黄现璠 著	
清史简述	郑天挺 著	
两汉社会生活概述	谢国桢 著	
中国文化与中国的兵	雷海宗 著	
元史讲座	韩儒林 著	

书名	作者	
魏晋南北朝史稿	贺昌群 著	
汉唐精神	贺昌群 著	
海上丝路与文化交流	常任侠 著	
中国史纲	张荫麟 著	
两宋史纲	张荫麟 著	
北宋政治改革家王安石	邓广铭 著	
从紫禁城到故宫 ——营建、艺术、史事	单士元 著	
春秋史	童书业 著	
明史简述	吴晗 著	
朱元璋传	吴晗 著	
明朝开国史	吴晗 著	
旧史新谈	吴晗 著	习之 编
史学遗产六讲	白寿彝 著	
先秦思想讲话	杨向奎 著	
司马迁之人格与风格	李长之 著	
历史人物	郭沫若 著	
屈原研究(增订本)	郭沫若 著	
考古寻根记	苏秉琦 著	
舆地勾稽六十年	谭其骧 著	
魏晋南北朝隋唐史	唐长孺 著	
秦汉史略	何兹全 著	
魏晋南北朝史略	何兹全 著	
司马迁	季镇淮 著	
唐王朝的崛起与兴盛	汪篯 著	
南北朝史话	程应镠 著	
二千年间	胡绳 著	
论三国人物	方诗铭 著	
辽代史话	陈述 著	
考古发现与中西文化交流	宿白 著	
清史三百年	戴逸 著	

清史寻踪	戴逸	著
走出中国近代史	章开沅	著
中国古代政治文明讲略	张传玺	著
艺术、神话与祭祀	张光直	著
	刘 静 乌鲁木加甫	译
中国古代衣食住行	许嘉璐	著
辽夏金元小史	邱树森	著
中国古代史学十讲	瞿林东	著
历代官制概述	瞿宣颖	著
宾虹论画	黄宾虹	著
中国绘画史	陈师曾	著
和青年朋友谈书法	沈尹默	著
中国画法研究	吕凤子	著
桥梁史话	茅以升	著
中国戏剧史讲座	周贻白	著
中国戏剧简史	董每戡	著
西洋戏剧简史	董每戡	著
俞平伯说昆曲	俞平伯 著 陈 均	编
新建筑与流派	童寯	著
论园	童寯	著
拙匠随笔	梁思成 著 林 洙	编
中国建筑艺术	梁思成 著 林 洙	编
沈从文讲文物	沈从文 著 王 风	编
中国画的艺术	徐悲鸿 著 马小起	编
中国绘画史纲	傅抱石	著
龙坡谈艺	台静农	著
中国舞蹈史话	常任侠	著
中国美术史谈	常任侠	著
说书与戏曲	金受申	著
世界美术名作二十讲	傅雷	著

中国画论体系及其批评	李长之 著	
金石书画漫谈	启 功 著	赵仁珪 编
吞山怀谷		
——中国山水园林艺术	汪菊渊 著	
故宫探微	朱家溍 著	
中国古代音乐与舞蹈	阴法鲁 著	刘玉才 编
梓翁说园	陈从周 著	
旧戏新谈	黄 裳 著	
民间年画十讲	王树村 著	姜彦文 编
民间美术与民俗	王树村 著	姜彦文 编
长城史话	罗哲文 著	
天工人巧		
——中国古园林六讲	罗哲文 著	
现代建筑奠基人	罗小未 著	
世界桥梁趣谈	唐寰澄 著	
如何欣赏一座桥	唐寰澄 著	
桥梁的故事	唐寰澄 著	
园林的意境	周维权 著	
万方安和		
——皇家园林的故事	周维权 著	
乡土漫谈	陈志华 著	
现代建筑的故事	吴焕加 著	
中国古代建筑概说	傅熹年 著	
简易哲学纲要	蔡元培 著	
大学教育	蔡元培 著	
	北大元培学院 编	
老子、孔子、墨子及其学派	梁启超 著	
春秋战国思想史话	嵇文甫 著	
晚明思想史论	嵇文甫 著	
新人生论	冯友兰 著	

中国哲学与未来世界哲学	冯友兰 著	
谈美	朱光潜 著	
谈美书简	朱光潜 著	
中国古代心理学思想	潘菽 著	
新人生观	罗家伦 著	
佛教基本知识	周叔迦 著	
儒学述要	罗庸 著	杜志勇 辑校
老子其人其书及其学派	詹剑峰 著	
周易简要	李镜池 著	李铭建 编
希腊漫话	罗念生 著	
佛教常识答问	赵朴初 著	
维也纳学派哲学	洪谦 著	
大一统与儒家思想	杨向奎 著	
孔子的故事	李长之 著	
西洋哲学史	李长之 著	
哲学讲话	艾思奇 著	
中国文化六讲	何兹全 著	
墨子与墨家	任继愈 著	
中华慧命续千年	萧萐父 著	
儒学十讲	汤一介 著	
汉化佛教与佛寺	白化文 著	
传统文化六讲	金开诚 著	金舒年 徐令缘 编
美是自由的象征	高尔泰 著	
艺术的觉醒	高尔泰 著	
中华文化片论	冯天瑜 著	
儒者的智慧	郭齐勇 著	
中国政治思想史	吕思勉 著	
市政制度	张慰慈 著	
政治学大纲	张慰慈 著	
民俗与迷信	江绍原 著	陈泳超 整理

政治的学问	钱端升 著	钱元强 编
从古典经济学派到马克思	陈岱孙 著	
乡土中国	费孝通 著	
社会调查自白	费孝通 著	
怎样做好律师	张思之 著	孙国栋 编
中西之交	陈乐民 著	
律师与法治	江 平 著	孙国栋 编
中华法文化史镜鉴	张晋藩 著	
新闻艺术（增订本）	徐铸成 著	
经济学常识	吴敬琏 著	马国川 编
中国化学史稿	张子高 编著	
中国机械工程发明史	刘仙洲 著	
天道与人文	竺可桢 著	施爱东 编
中国医学史略	范行准 著	
优选法与统筹法平话	华罗庚 著	
数学知识竞赛五讲	华罗庚 著	
中国历史上的科学发明（插图本）	钱伟长 著	

出版说明

"大家小书"多是一代大家的经典著作,在还属于手抄的著述年代里,每个字都是经过作者精琢细磨之后所拣选的。为尊重作者写作习惯和遣词风格、尊重语言文字自身发展流变的规律,为读者提供一个可靠的版本,"大家小书"对于已经经典化的作品不进行现代汉语的规范化处理。

提请读者特别注意。

北京出版社